TUDO É RIO
CARLA MADEIRA

TUDO É RIO
CARLA MADEIRA

TUDO É RIO
CARLA MADEIRA

29ª edição

EDITORA RECORD
RIO DE JANEIRO • SÃO PAULO
2025

CIP-BRASIL. CATALOGAÇÃO NA PUBLICAÇÃO
SINDICATO NACIONAL DOS EDITORES DE LIVROS, RJ

M153t
29ª. ed.

Madeira, Carla
  Tudo é rio / Carla Madeira. – 29ª. ed. – Rio de Janeiro: Record, 2025.

  ISBN 978-65-5587-178-4

  1. Romance brasileiro. I. Título.

20-68362

CDD: 869.3
CDU: 82-31(81)

Leandra Felix da Cruz Candido – Bibliotecária – CRB-7/6135

Copyright © Carla Madeira, 2014, 2021

Projeto gráfico de miolo adaptado do design original de Daniela Piancasteli.

Todos os direitos reservados. Proibida a reprodução, armazenamento ou transmissão de partes deste livro, através de quaisquer meios, sem prévia autorização por escrito.

Texto revisado segundo o novo Acordo Ortográfico da Língua Portuguesa.

Direitos exclusivos desta edição reservados pela
EDITORA RECORD LTDA.
Rua Argentina, 171 – Rio de Janeiro, RJ – 20921-380 – Tel.: (21) 2585-2000.

Impresso no Brasil

ISBN 978-65-5587-178-4

Seja um leitor preferencial Record.
Cadastre-se no site www.record.com.br e
receba informações sobre nossos lançamentos
e nossas promoções.

Atendimento e venda direta ao leitor:
sac@record.com.br

Para Ana e João

6   Prefácio

Não vou enganar você: este não é um livro para ser bebido num gole só. Carla não escreve, borda. Cada frase mais sublinhada que a outra.

Pois então deixe de lado a sede de história e leia tomando gosto, que às vezes o caldo queima a boca. A narrativa é um rio caudaloso de dor e vida, que guarda corredeiras onde menos se espera. Em suas águas turvas sopram ventos de fantasia com rajadas de verdade.

Você vai querer grifar, anotar, escrever junto. Vai fechar o livro, voltar depois de um tempo e abri-lo na fervura de quem sente e sofre.

Carla mergulha no pesadelo espesso do amor. Na loucura do tanto, na insensatez do sempre e do nunca. Tudo é intenso, tudo é muito. E a vida, como metáfora de um rio, tudo traz, tudo leva, tudo lava. Menos o amor. O amor é uma verdade à prova do tempo.

Deguste.

Cris Guerra

Ela me perguntou o quanto eu a amava.
Reuni em vidro todos os humores vertidos:
sangue, sêmen, lágrimas.
Amo você tantos rios.

10   **Capítulo 1**

Puta. Não tem outro nome para Lucy. De profissão ela era puta mesmo. Trabalhava num puteiro, vivia num puteiro. Mas não era puta só por isso. Se só por isso fosse, podia outros nomes mais respeitosos, como meretriz ou prostituta. Era puta e pronto, que essa palavra, a seco, carrega um xingamento, que quem conhecia Lucy queria logo desabafar. Tinha um jeito baixo e arrogante de provocar todo mundo esfregando o sexo sem censuras, descobrindo os seios e atirando palavras cruas encharcadas de lama. Uma beleza disputada a tapa pelos frequentadores dava a ela o poder de não bastar aos olhos: quem via Lucy queria degustar. Dizem que sabia fazer o diabo com um homem na cama. Enlouquecia qualquer um que passasse pelos seus cuidados. Não tinha um que não quisesse mais.

Lucy tinha vontades, não aceitava dó de ninguém, repelia com sadismo as senhoras cristãs que lhe ofereciam um pouco de bondade. Eu pratico o gozo e não o sofrimento, humilhava. Vivia dizendo que daquele puteiro, e talvez de todos os outros puteiros do mundo, ela era a única puta que podia ser chamada de mulher de vida fácil. Quer vida mais fácil do que a minha, uma puta que gosta de dar?

Para toda a cidade isso era uma provocação sem tamanho, qualquer pessoa de bem tolera as putas, com a condição de sentir pena delas. Lucy, dona demais de si mesma, privava as mulheres de família do exercício da compaixão. Provocava com isso desejos profundos de inferno. As senhoras mais respeitadas se uniam para exigir de Deus que tornasse difícil a vida fácil dela. Se achavam com poderes de julgar e condenar a indecente.

Muitas dessas senhoras tinham em casa maridos que assistiam mudos à ira contra Lucy. Mais a raiva delas aumentava, mais a fama de Lucy crescia. Os homens adoeciam de uma curiosidade científica por ela, vulgarmente conhecida como tara. Se enfileiravam dispostos a qualquer migalha. E como a fome faz mais pela cozinheira do que os temperos, a puta mais vulgar do mundo gozava fama de preciosidade, faturando alto todo dia.

Nesse vai e vem de tudo quanto é cor, posses e credos, é difícil acreditar que Lucy tenha caído de amores logo por Venâncio, marido de Dalva. Venâncio foi frequentador da Casa de Manu quando atravessou o deserto de ser sozinho. Um homem triste, pesado, que carregava com ele um tormento sem tamanho. Mãos de marceneiro marcadas pelos erros dos martelos e serrotes e olhos profundos de abismos por dentro. Pois foi esse sujeito afastado de qualquer vaidade, suado e maltratado, que Lucy via sem interesse e com alguma aversão, que acabou provocando nela uma paixão desmedida, daquelas vermelho-sangue, tempestuosas, que só uma puta difícil sabe permitir.

A história dos dois começa sem novidade nenhuma, é a bobagem de sempre, gostar de quem não gosta da gente. Todo mundo queria Lucy, enfrentava fila, comprava briga, gastava o ouro, fazia tudo pelo deleite de se esfregar nela. Menos Venâncio. Este chegava à zona e deitava com qualquer uma sem nem tomar conhecimento da disputaria. Ela se oferecia, ele recusava. Era um não com voz reta, não de promessa, jurado no silêncio das entranhas. Ninguém arrancava dele o motivo.

E como quem não sabe, inventa, a intriga rendeu na boca da mulherada: todas as outras queriam saber por que é que Venâncio não se deitava com Lucy. O poder inquestionável da puta cheia de si estava à beira do descrédito. O caldo grosso da inveja derramou, e o assunto foi parar nos ouvidos da rejeitada.

Pronto, foi o que bastou. Lucy se encheu de desafio, qualquer custo era o preço que pagava para levar Venâncio para dentro. Questão de honra, condição para calar a boca das despeitadas e manter sua fama à altura do que era capaz na cama. Do fundo da alma à superfície da pele, da ponta do dedo às pontas dos pelos, do lado de dentro e de fora, onde existia Lucy não tinha um espaço, miúdo que fosse, que não sustentasse a mais absoluta certeza de que ia ser fácil levar um homem abatido daquele para a cama.

14   **Capítulo 2**

Doralda, Rosa, Margarida, Lucíola, Madalena, quem ia vir naquela noite pouco importava. Venâncio esperava por qualquer uma e delas não esperava nada. Só recusava Lucy. Ficou surpreso e quase sem ação na primeira vez que ela invadiu seu quarto, já tinha dito um não na sala, dias antes, e pensou que bastaria. Não bastou. Quando ela chegou, sem ser convidada, trouxe o cheiro do assanhamento. Tirou a roupa poderosa, peça por peça, olhando de cima do nariz para baixo, na direção de Venâncio, sentado na cama, acompanhando tudo do lugar dele. Paralisado.

Ficou nua, pelo e pele, chegando poro a poro bem perto, oferecendo a montaria. Lucy tinha um corpo indecente, que convidava aos berros línguas e mãos. Ele sentado, ela de pé, entre o umbigo e os pelos dela, os olhos dele. Ande, homem, hoje eu quero dar pra você, venha com a sua boca sentir o meu gosto. Abuse de me molhar. Você tem sorte, eu sou gostosa demais.

Venâncio ficou quieto, apreciou, enquanto Lucy descrevia sem modéstia a sua competência. Quanto mais ela falava, mais ele ouvia o que não queria. Quando abriu a boca, foi um ponto final sem recurso. Não quero não, moça, guarde essa gostosura toda pra sua fila de babões, eu gosto de puta que dá mal.

Lucy experimentou o coice, despreparada, quis bater em Venâncio, exigir obediência. Apelou. Mandou que ele enfiasse no cu todas as coisas que têm nome e saiu cuspindo o fogo que não acendeu nele, mas no dia seguinte voltou. E depois voltou de novo, eram dias rendendo semanas puxando meses empurrando a vida.

Cada noite tirava a roupa de um jeito, às vezes só a parte de cima, às vezes só a de baixo. Lento, rápido. Mordia a boca, divertia os dedos, expressava os olhos. Ficava de frente, de lado, de quatro, exausta. A uma certa demora, Venâncio, entediado, punha ela para fora sem satisfazer uma unhazinha suja sequer do seu apetite. Lucy cancelou a fila, jurou que não deitava com mais ninguém enquanto não fosse mulher para Venâncio. E assim foi indo, sem outro pensamento, com essa ideia encurralada. Atrofiou, diminuiu de tamanho na aflição de não ter mais o que inventar, desconfiou de todas as certezas que tinha.

Até que um dia, um modo de proceder dela derrubou o muro e ameaçou a distância entre eles. O que ela fez, sem saber que fazia, provocou em Venâncio uma emoção aguda, os olhos dele se encheram de uma água triste, turva como a água que passa num cano por onde nada passava há muito tempo e que expulsa com ela uma sujeira velha, um abandono antigo e demorado. Aquele homem maltratado era dono de uma beleza que a desgraça escondeu com sua camada grossa de hostilidade. Naquele momento em que o opaco ganhou transparência, deixou ver o que tinha sido.

18   Capítulo 3

Venâncio e Dalva casaram apaixonados. Perdidamente. Quem via os dois pedia a Deus uma sorte igual. O amor tem nome, mas não é nada que a gente possa reconhecer só de olhar. A dor a gente sabe o que é, tem lugar e intensidades que cabem na ciência. A raiva, o medo, o ódio entortam a cara com um jeito provável de se manifestar. Mas e o amor? O que é senão um monte de gostar? Gostar de falar, gostar de tocar, gostar de cheirar, gostar de ouvir, gostar de olhar. Gostar de se abandonar no outro. O amor não passa de um gostar de muitos verbos ao mesmo tempo. No caso de Venâncio e Dalva, o gosto de cada sentido grudava os dois para mais de muitas vidas, pareciam eternos de tão juntos. Um saboreava o outro. Viveram muito tempo assim irrigados até que Dalva engravidou. A notícia parecia boa, amor dando fruto, coisa mais sagrada ela e ele somados, a natureza perfeita providenciando a continuação de tudo. Era isso que deviam sentir, e ficaram muito tempo tentando fazer o que deviam. Insistiram na bobagem de pôr no caminho deles a estrada dos outros. Deu no que deu. Quem pode negar, no mais honesto olhar, que, dado um encaixe perfeito, não sobre espaço para mais nada? Era justo demais o jeito que um juntou no outro. Venâncio, quando viu a barriga de Dalva crescer, foi vendo crescer nele um ciúme doentio. Mas era tarde, não comandava o curso do rio. Estava feito.

Dalva já queria aquele filho mais do que qualquer outra coisa. Pensava nele, falava dele, entregava as mãos à barriga e dela não se afastava. Era bercinho para cá, bordados para lá, banhos demorados voltados para o próprio umbigo, tardes inteiras cantando canções de ninar com uma voz débil, daquelas que os adultos fazem quando pensam encantar as crianças. Passou a evitar Venâncio com medo de machucar o bebê, olhava mais para o espelho do que para os olhos dele e foi alimentando nele a mais profunda convicção de que naquela barriga crescia um ladrão que ia roubar para sempre a mulher da sua vida.

A loucura começa como a doença, miúda. Vai se alastrando célula a célula, ocupando tudo, destruindo a saúde, acabando com a vida de quem não encontra recurso para deter os pensamentos ruins, fazedores dos mais profundos infernos. O pensamento solto, insistente e amargo constrói e antecipa a desgraça, é cruel no jeito de destruir.

Naquele dia Venâncio podia ter saído, já estava lá fora no portão, quando pôs sentido na bexiga cheia e pesada. Voltou para mijar. Nos últimos anos, a lembrança desse segundo, o preciso momento em que decidiu voltar, provocava nele uma aflição sem alívio. O filho tinha nascido de manhã, quando ele entrou no quarto, Dalva oferecia o bico do peito para o menino. Os olhos de Venâncio pararam ali, sentiu uma dor de infidelidade, traição, a nuca esquentou num quase desmaio. Ela punha na boca do menino o bico do seio que era dele, o bico, acordado e nu, estava lá entumecido, pronto, sem que ele o tivesse excitado.

A boca do neném buscava ansiosa o peito farto e úmido querendo sugar, engolir e ainda tão sem saber. O mamilo se dobrava passando na boquinha pequena, querendo ser pego por ela. Dalva se entregava a uma emoção única, da mais comovente ternura. O momento dela e do filho cegou Venâncio de uma absurda loucura. Ele arrancou o menino dos braços dela e jogou longe, bateu em Dalva, bateu, bateu. Espancou.

22   **Capítulo 4**

Dor.

24   **Capítulo 5**

Com a dor, o silêncio. Denso, ácido. Estagnado. Um silêncio de caco de vidro moído esfolando o corpo por dentro. Um desesperar, nada por vir. Dalva parou de falar com Venâncio. Não olhou mais para ele, considerou que ele não estava mais vivo, ignorou sua presença. Nenhuma reação. Nem quando ele chorou, quando ficou sem comer, quando parou de se lavar, nem quando ameaçou morrer, nem quando mandou valente, cuspiu na cara dela, sugigou prometendo uma nova surra, jurando morte, morrendo esmagado pelo que não podia ser desfeito. Nada. Ele suplicou sincero, desamparado, e ela nem um olhar, nenhum perdão possível.

Nas primeiras semanas, Dalva não comia, não bebia, não acendia a luz, morria um pouco a cada dia. Se levantou depois de uma longa visita de luto da mãe, saiu de casa sem deixar pistas e, para desespero de Venâncio, só voltou ao entardecer do dia seguinte. Desse dia em diante, passou a sair todas as manhãs. Caminhava lenta, magra, ombros fechados de quem desistiu. Ninguém sabe ao certo aonde ia. Na hora mais triste das tardes, quando a saudade parece apertar o coração do mundo, Dalva voltava para casa. Dizem que a tristeza dessa hora está nas entranhas da gente, infiltrada nas nossas menores porções há milênios. Nasceu do pavor infinito de anoitecer, hora em que as mulheres não sabiam se seus homens voltariam vivos da caça. Muitas vezes não voltaram. Hora em que os homens, ao voltar da caça, não sabiam se encontrariam suas mulheres mortas. Muitas vezes encontraram. Perder amores é escurecer por dentro, uma memória do corpo que o entardecer evoca quando tinge o céu de vermelho. Para quem está sozinho depois de ter amado, o fim do dia é muito triste. Era nessa hora que ela voltava.

Dalva morava perto da Casa de Manu, o puteiro da cidade, e, quando fazia seu caminho de todos os dias, passava bem na porta das putas. Um alpendre fresco, onde sempre uma mulher ou muitas se largavam espalhadas, meio nuas, pelo chão gelado, entregues nas muretas baixas, estiradas e preguiçosas da noite animada, fugindo do sono e do calor dos dias.

Do outro lado da rua, o passeio estreito recebia o sol histérico, claro e quente, fritando quem caminhasse por lá, e, ainda assim, era por ali que o movimento da rua corria. No lado da sombra, pouca gente se atrevia a passar, era quase entrar na Casa de Manu e, com a luz do dia, um pudor constrangido aconselhava menos intimidades. Toda sorte de pensamento fazia o lado do sol mais prudente: ser reconhecido, ver o pecado de frente, sentir vontade de dia, medo de ficar doente, ver putas de perto como se putas não fossem gente.

Outro medo ajuizado mantinha quase vazio o passeio coberto de sombra, ser alvo de zombarias, que as putas juntas são corajosas, jocosas, falam alto, e, na lentidão quente das horas em que não fazem nada, uma boa risada, à custa de um distraído passante, dava para as moças mais diversão do que a folia das noites viradas.

Se o distraído fosse uma beata, ficava mais divertido o escárnio. Putas e beatas não se entendiam nem por princípios, nem pelos fins. Para as putas, basta a Deus um coração puro, outras partes podem ser lambuzadas. Para as beatas, qualquer lambança no corpo contamina o coração. Uma guerra santa e encorpada.

Mas Dalva não era confundida com uma beata, embora suspeitassem que ela arrastava um corpo sem prazer à procura de uma igreja. As putas pareciam adivinhar sua dor. Quando ela, todos os dias, passava por ali, podiam ver o abandono caminhando, ficavam caladas, pensando nelas mesmas. Aquele peso todo tinha um eco poderoso no silêncio suado e cheio de cheiros que rodeava cada uma.

Dalva nunca olhou para o alpendre, embora fosse pelo caminho da sombra. Passava de cabeça erguida, olhando para a frente, não por afetação de orgulho ou por força de algum julgamento, mas por não dar importância a nada que não fosse ir para onde estava indo. Carregava seu corpo pesado de tristeza, e isso era tudo o que parecia fazer. As putas reconheciam que ali não se podia bolinar, sabiam por experiência própria que não se deve aumentar uma dor sem tamanho. No fim do dia, quando Dalva voltava, para quem reparasse muito, dava para ver um olhar mais sereno nos olhos dela, mas ninguém nunca reparou, nem pouco.

O que as putas sabiam sobre ela e Venâncio era desencontrado, coisas ditas sem certeza, boca a boca. A história de cada uma delas sempre se misturava no jeito como cada uma contava a história do amor deles. Sonhavam juntas. Algumas se lembravam de ver Dalva e Venâncio andando apaixonados pela cidade. Se lembravam do que poderiam ter facilmente esquecido depois de tanto tempo porque tinham tido vontade de um amor como aquele. Amor de livro barato, quem não quer? Amor que não se vê na vida nem das putas, nem na das beatas e muito menos na vidinha de quem pensa ter que escolher entre uma coisa ou outra.

Diante do amor, algumas putas sentem mesmo vontade de nascer de novo, como se não tivessem tido direito a ele. Essas prestaram mais atenção no amor dos dois. Repararam, por exemplo, em Dalva e Venâncio comendo broa quente na padaria. Ela queimava a língua, cheia de graça, como se colhesse flores, e ele lhe dava beijos molhados como quem sopra um dedinho queimado de criança. Guardaram as vezes em que eles tomavam chuva juntos e as vezes em que ajeitavam a roupa de baixo um do outro na frente de quem quer que fosse, não davam notícias do entorno. Tudo que era na rua faziam juntos: comprar, consertar, passear, e os afazeres em casa eram brincadeiras de amor. Tão bonito quanto insuportável. Uma antipática felicidade, desumana com a solidão alheia. Quem podia acreditar em um amor daqueles? Para que ninguém nunca, em tempo algum, se atreva a achar que é a vida que inspira os livros baratos, ela, a vida, sempre disposta a nos levar até a morte, expõe, mais cedo ou mais tarde, aos berros, sua avareza: felicidade em demasia é dívida que não se pode pagar. A conta viria.

Como eram poucas as putas que se lembravam, eram poucas as que falavam. E o silêncio, com sua vocação de fermento, engordava toda sorte de devaneio. Como aquele amor virou dor? Ninguém sabia explicar, mas respeitavam a tristeza dessa alquimia, o destino não aceita zombarias. Dalva passava, e as putas sonhavam.

Capítulo 6

Quando Lucy se obcecou por Venâncio, não sabia nada dele. Nem quem era ele, nem de onde vinha, nem se tinha mulher ou família. Não importava. Para ela a história de Venâncio começava ali, no dia em que ela botou o querer nele, ele nasceu. Em uma cidade pequena, é difícil acreditar que alguém não se dê conta de que um mundo ao redor caminha junto. O outro existe. Não para Lucy, que só sabia dela mesma. Sabia o que queria e querer bastava: Tá achando que eu chupo dedo quando quero comer goiaba?, dizia chupando safada os dedos, deixando quem estivesse por perto convencido do que era capaz de fazer com aquela boca.

Ninguém, no começo, entendeu que Venâncio se tornaria uma questão de honra. Muito menos que uma questão de honra pudesse virar uma paixão obstinada. Ninguém supunha que alguma coisa podia dominar Lucy. Um homem tão pouco desejado por tanta gente virou o único assunto da vida dela.

Quando ele se agarrou à recusa, e Lucy, ao pavor de ser recusada, foi que a existência de Dalva veio à tona. Foi a conta de ficar sabendo para Lucy fincar os pés no alpendre, todos os dias, esperando Dalva passar. Um ritual que logo virou um espetáculo aguardado.

No primeiro dia apenas olhou, ventando por dentro, deixando aos mais atentos o presságio do que viria. Olhou atrevida, de cima a baixo, sem enxergar dor nenhuma. Mediu o peito, vigiou as pernas, imaginou a bunda nua. Uma bunda murcha, segundo seus cálculos. A cabeça erguida lhe pareceu uma provocação. Não disse nada, mas ruminou. Azedou por dentro. Foi soprando insistente a fagulha. Como aquela mulher se atrevia a andar no seu passeio? A desfilar na sombra da sua casa? A ser mulher do homem que não queria saber dela?

Naquela mesma noite, se enfiou no quarto de Venâncio, pôs para fora a puta grudada nele e decidiu fazer o que pensava ser irrecusável. Botou o pau de Venâncio na boca. Ele agarrou o cabelo de Lucy como se fosse se render a um desejo violento e se arrancou de dentro dela com força. Despejou a mulher na sala e catou de volta a puta que queria.

A fila estava lá, fiel. Testemunhou. Ver Lucy expulsa de uma cama era novidade demais. Uns se colocaram imediatamente disponíveis, outros ficaram mudos e quem arriscou uma zombaria se arrependeu. Lucy calou todas as bocas desabotoando lentamente a blusa. Ninguém sabia o que ela podia fazer. Nem um pio. Foi deixando ver o peito indecente, o bico duro, e, olhando dentro do olho de cada um, falou, já dona do mundo: Olhem, meus amores, olhem bem, estão vendo? Sintam essa coisa mole entre as pernas de vocês acordar, sentiram? Ela molhava os dedos na língua lenta e pegava no bico do próprio peito. Estão vendo o que eu estou fazendo, pra onde posso levar vocês? Vejam como eu sei chegar lá sozinha. Com uma mão trabalhou o peito, a outra enfiou entre as pernas, e ficou ali se entregando a um prazer escancarado até gozar alto. Os homens estavam loucos. Até as putas se excitaram. Vocês vão me querer para o resto da vida, vão sonhar com isso quando se deitarem com suas mulheres secas, cheirando a sabonete cremoso, mas esse cheiro aqui de mover pau vocês não vão sentir mais. Levou o dedo molhado do próprio caldo no nariz de alguns e depois chupou safada os próprios dedos. Até aquele homem lá dentro me dar o que eu quero, essa boceta não vai divertir mais ninguém.

Lucy fechou a porta do quarto deixando uma sala desatinada para trás. O desejo que ela espalhou exigia alívio. Alguns homens se enfiaram no banheiro, outros disputaram as putas a preço de ouro e os que sobraram correram para casa mais aborrecidos do que conformados por terem que resolver tanto fogo com a própria mulher.

A noite foi um bagaço de cana agarrado na garganta de Lucy. Possuída de aflição, tinha ímpetos de murros. Queria ir para o alpendre esperar Dalva passar. A essa altura, já não tinha dúvida de que a culpa era daquela vaca sofredora, com aquela cara de quem não se mistura. Vamos ver quem pode mais, gritou madrugada adentro.

Capítulo 7

O pai e a mãe de Lucy faziam amor. Ela nasceu de uma trepada feliz. Foi um bebê de olho aceso, tinha vontade de engolir o mundo. Pai e mãe achavam graça, davam carinho, enfeitavam a filha única com aquele amor alegre.

Quando não sabia ainda nenhuma palavra, já era boa em deixar claro o que queria. Foi ficando grande aos paparicos, cresceu confiante. Era mais do que bonita, tinha alguma coisa irresistível no seu jeito. Aprendeu a escalar as pernas da mãe para olhar dentro do olho dela antes de pedir alguma coisa. Sabia insistir. Viu que funcionava.

E então, quando já estava acostumada a ter o que bem entendesse, perdeu mãe e pai ao mesmo tempo. No dia do enterro, não teve quem não sentisse dó vendo aquela menina ordenar aos pais que se levantassem. Pela primeira vez, eles desobedeceram à insistência sofrida da filha. Foi seu primeiro não intransponível. Sem saber, ela jurou que seria o último.

A irmã do pai, tia Duca, levou Lucy para casa. Suas duas filhas, Cleia e Valéria, eram mais ou menos da idade da sobrinha, sete anos. Um corte seco e afiado começava ali. Essa poderia ser a velha história da menina órfã maltratada, explorada por gente ruim e ambiciosa. Nada disso. A tia não era nem boa, nem má, apenas amava mais as filhas. Quem não amaria mais as filhas do que a sobrinha cheia de vontades? Duca nunca ia esquecer, embora não tivesse planos de vingança, das vezes em que viu Lucy tirar o chocolate das filhas sem que seu irmão desse à sobrinha alguma noção do que fosse dividir. Oh! menina impossível, quando quer alguma coisa ninguém segura, falava orgulhoso o pai. Uma boa surra segura, pensava Duca calada. Melhor não falar nada, deixa que a vida ensina, seu irmão estava certo demais que essa era uma qualidade essencial ao bom futuro da filha. Fazer o quê? Cada pai, uma esperança.

O certo é que na casa de tia Duca quem mandava era tia Duca. Tinha hora de comer, hora de dormir, hora de estudar. Cada uma fazia a própria cama e dividiam a arrumação da casa e da cozinha. Missa todo domingo. Lucy odiava. Tentou convencer a tia de como a coisa funcionava com ela. Não deu certo, tia Duca não deixava olhar dentro do olho e cortava de cara qualquer conversa subversiva. Você tem idade pra obedecer, quando conseguir ter sua própria casa e comprar sua comida, vai poder ser dona da sua vida. Essa era a ladainha.

E se a obediência era distribuída por igual, o olhar carinhoso e o colo quente eram para Cleia e Valéria em quantidades mais generosas e sinceras. Não era por maldade. Duca se esforçava para incluir Lucy nessa intimidade, mas era como uma caridade penitente. Lucy sentia um ranço de esmola naquela bondade. Não reconhecia nenhum amor ali, e a saudade dos pais machucava. Ao mesmo tempo, foi alimentando um rancor pela tia e um ódio por tudo em que ela acreditava. Muito asseio, muita igreja, muito obrigada, muito por favor, muita decência. O que Duca e as filhas tinham massacrava Lucy. E quando a adolescência chegou trazendo corpo, mucos e angústias, veio com ela o insustentável.

38   **Capítulo 8**

Lucy teve certeza de como ferir tia Duca. Antes de mais nada, teve certeza de que era isso que queria fazer. O imperdoável, o rompimento irreversível. Nada a ser dito. Uma espécie de morte. Firme, imperturbável. Para sempre. Lucy nunca quis estar ali e teve tempo de planejar sua retirada.

Mas não é só de tempo que um bom cardápio de ódios precisa para inspirar grandes estratégias. Precisa começar de algum lugar e, nesse caso, o lugar era Brando.

Ele era bonito. Isso de cara já intrigava, Lucy nunca entendeu o interesse do tio pela tia. Uma mulher castanha, sem extremos, sem surpresa. Uma água morna e fosca. Tio Brando vivia cercado de um silêncio atraente, uma distância de quem quer ver melhor, que abria caminho para tia Duca ocupar todos os espaços. Ela mandava, mas era ele quem permitia. Nem de longe era o marido palerma que gostava de parecer. Ali existia uma conveniência esperta. Ele assistia ao trem caminhar pelos trilhos indo exatamente para onde queria. A mulher fiel, dona de casa, caprichosa com o dia a dia, as filhas bem educadas, prontas para um bom casamento com vista para um futuro menos oneroso. Comida quente e bem-feita na mesa. Cerveja gelada. Casa limpa, roupa lavada e passada e a liberdade dos que estão acima de qualquer suspeita. Sabia escapar daquele circo. Por isso carregava sempre um sorriso indecifrável de quem estava se divertindo com um jogo de tabuleiro. Nunca tentou ser pai de Lucy. Tratava a menina bem e mantinha-se longe das disputas e dos arranca-rabos diários.

Mas, quando Lucy ficou moça, não era mais possível ignorar a força do corpo dela. Era um convite escancarado. Ela podia estar varrendo o chão, lavando prato, indo para a missa, podia estar com dores de menstruação. Não importava, Lucy dava vontade de pegar, lamber, dava vontade de ser bicho. Tio Brando não botava o olho nela como queria, tinha medo de perder o controle. Mas Lucy notou que estava sendo desejada. O jogo que ela queria ganhar tinha começado.

No início eram pequenas provocações. Um braço que roçava outro. Um espreguiçar distraído oferecendo o peito livre sob a camiseta. Uma mão displicente ajeitando a calcinha. Uma língua caprichosa molhando os lábios. Coisas defensáveis. Em caso de flagrantes ou acusações explícitas, ainda caberia uma cara de surpresa e ares de injustiçada.

Essas pequenas seduções foram liberando seus vapores inflamáveis, e o desejo foi se concentrando no espaço que separava os dois, criou um campo impregnado de atração contra a qual não se podia mais nada. Não havia como parar aquilo. O irreversível estava no comando. Então uma noite, quando Brando bebia sua sagrada cerveja, Lucy se aproximou lentamente, sustentando os olhos nos olhos dele, enfiou seu dedo no copo e depois levou o dedo molhado à boca do tio. Fez ele chupar seus dedos ali na sala da casa. O risco de serem pegos transformou a sala no lugar preferido para tudo o que viveriam. Parte da excitação de Lucy morava na perversão.

Algumas vezes ela arredava a blusa e enfiava o bico do peito na boca dele, ele chupava forte por poucos segundos e então ela se virava e ia lavar a louça. Tirava a calcinha sob o vestido, esfregava na cara de Brando fazendo seu cheiro se apoderar de tudo e seguia limpando a mesa. Inúmeras vezes, sentava em uma cadeira, abria as pernas, subia lentamente o vestido e, quando o pelo negro surgia espesso, se esfregava lenta e safada olhando no olho do tio, vendo ele se incendiar. Eram torturas violentas, pequenos segundos de um desejo demorado, dia após dia, juntando forças para explodir.

Mas tia Duca estava sempre lá, rebobinava tudo, esfriando aquela fervura. Vivia bem informada sobre as vontades de Deus e emprestava a voz alta e confiante ao exercício de compartilhá-las. Se achava dona da palavra do Senhor por saber de cor a palavra escrita por homens. Homens criados por Deus, propositalmente sujeitos a ciscos e traves nos olhos. Tia Duca se ocupava tanto com falar suas certezas que não dava notícias do que ouviam. No fundo, não muito fundo, desconfiava que ela, em pessoa, em carne e osso, era um exemplo de mulher, se concentrava nisso.

Capítulo 9

Lucy começou a valorizar a ida à missa aos domingos. Se aprontava cedo, se enchia de meiguice e repetia muitas vezes: Não tem nada que eu goste mais do que ir à missa. Não vejo a hora de ir pra igreja. E foi fazendo assim, exagerando no contentamento. É claro que tia Duca viu, ah, se viu! Viu e mordeu.

Boas punições são as que fazem sofrer. A vara educa. Tia Duca acreditava mais nisso do que em Deus, e foi com convicção que disse a Lucy: Hoje você não vai à igreja. Vai arrumar a cozinha direito, pra aprender a ter asseio. Mas, titia... Não tem mais nem menos, você vai ficar em casa com seu tio e acabou. Lucy olhou para o tio, e lá estava aquele sorriso no canto da boca.

Elas foram. Os dois ficaram. Sozinhos e cercados por meses de desejos reprimidos. O que fazer com tanta liberdade? Lucy ficou diante do tio enfrentando seu olhar em silêncio. Tire a roupa, ele mandou macio. Ela queria obedecer e tirou. Foi forte o impacto da beleza dela nele. Brando nunca tinha visto um corpo assim. Olhar aquela mulher nua perturbava. Conferiu lento de cima a baixo, ela, sem vergonha, buscava um lugar para a língua mal-intencionada. Brando pensava estar no comando, mas fragilizou. Não havia uma distância segura, corria o risco de emburrecer, jogar fora anos de experiência. Podia pegar Lucy e se meter dentro dela. Estava ali ao alcance das mãos. Tanta beleza tão perto era uma rasteira do desejo. Se inquietou prestes a se entregar. Fechou os olhos e a muito custo retomou as rédeas, conhecia os prejuízos.

Sabia que Lucy ainda não era uma mulher. Nunca tinha tido um homem de verdade. Se perguntava como ela dominava todas aquelas safadezas. Como sabia provocar daquele jeito. A tia vigiava pesado, na rua ela não tinha experimentado liberdades. Dormia no quarto com Cleia e Valéria, não podia nem se assanhar sozinha. Tudo era limitado, avarento, silencioso debaixo da coberta.

Engravidar aquela menina seria um transtorno, uma chatea-ção. Tentava se convencer, mas, diante das sacudidas violentas do desejo, podia pouco, os argumentos não tinham tônus, exigiam muito esforço para se impor. Brando relutou, sofria em desperdiçar a oportunidade, eram raras, queria se enfiar dentro de Lucy com força, ocupar sua boca no corpo dela, mas aqueles meses todos, pensando em como tirar do caminho os perigos, compareceram.

Enquanto entrava com o dedo em Lucy, foi de uma maneira estranha generoso com ela: Você é virgem, não é? Nunca foi de homem nenhum, hem? Sente como isso pode ser bom. Você gosta? Lucy estava dominada. Você quer que eu entre dentro de você? Lucy se ofereceu mais ainda. Você sabe que quando homem goza dentro de mulher pode fazer filho? E filho pode estragar tudo. Um filho é projeto para uma outra vida. Não a vida que você quer. Livre, divertida, safada, não é? Vida de ser sol. De ter súditos. Você tem a sorte de ser uma mulher que pode ter o homem que decidir ter. E se você tiver um homem, tem tudo o que ele tem. Se tiver muitos, pode ser rica. Lucy estava fora de controle, sentia dor, mas não queria parar, queria a queda-d'água, os dedos do tio eram atrevidos. Isso, assim, é disso que você gosta, não é? Lucy gemeu alto. Então vá atrás. Vá buscar. Lucy se contorcia insana. Se sua tia te pega comigo, te bota na rua. Eu vou ser perdoado. Você não. Então se você quer muito me ter, me tenha quando não precisar mais dessa casa. Os dedos avançaram violentos. Não tem um homem na cidade que não possa ser seu. Aprenda a não engravidar, o resto parece que você nasceu sabendo. Lucy explodiu, ondas e ondas de vertigem. Ela queria aquilo mil vezes, mil vidas. Ela queria ser puta, e, se ela queria, bastava.

46   **Capítulo 10**

Entre gostar de dar e ser puta vai uma distância que Lucy tratou de aproximar. Não queria dar de graça. Talvez acreditasse em putas que não existem: as putas-rainhas, que mal sabem o que querem e já estão sendo atendidas. Não se encantava com perfumes, colares, roupas que brilham. Queria era curvar os joelhos, ver aqueles sujeitos tomados pelo desejo, desesperados, pagando qualquer preço, só para poder decidir se os levaria ao inferno ou ao paraíso. Puta-deus, dona de destinos. Não tinha ideia de que nesse reino as putas obedecem, são coisa disponível. Aguentam o cheiro, o peso, o hálito, as taras, as varas de qualquer um. Lucy era puta-virgem. Sonhadora. Queria testar seu poder. Queria que jejuassem por ela, rastejassem, doassem dízimos. E, se não tinha ideia ainda da dura vida de quem é coisa, já tinha certeza de que com ela seria diferente. Não comprava essa versão das putas-infelizes.

Naquela noite custou a dormir. Ainda sentia o dedo do tio dentro dela. Tinha pressa de pôr o sonho em prática. Mas não fazia ideia de como escapar dos domínios de tia Duca. Lucy vivia sob vigilância: não dava um passo sem dizer aonde ia, com quem, por quê. A tia controlava seu tempo, suas companhias. Queria mandar nos seus pensamentos, decidir seu gosto, racionar seu gozo. Vaca.

Se livrar da tia não era pouco, mas era o de menos. Existia uma cidade inteira pronta para atirar pedras. Uma cidade atrás das cortinas, espiando pelas frestas, tomando conta da boa conduta, com as chaves do céu na mão distribuindo merecimentos. Como ser invisível com tantos olhos procurando pecados? Não era fácil ser puta. Era preciso escolher quem. Onde. Quando. Quanto. Muita coisa para imaginar antes de abrir as pernas.

Qual seria o destino de cada cidadão respeitável diante de um desejo bem provocado? O que faria, por exemplo, com o delegado? Prenderia. Não se apertou: alucinaria o farmacêutico. Deixaria o médico de cama. Lucy começou a se divertir maliciando as palavras, emputalhando os ofícios, brincando de ter poder. Perdeu a censura: poria o veterinário de quatro. O dentista, deixaria de boca aberta. Daria ao jornalista um furo ou dois. Ao professor, uma lição. Aos políticos, as piores sacanagens debaixo do pano. Deixaria o padeiro assado. Riu do padeiro assado, mas teve um pouco de medo quando pensou no padre de joelhos. Sobre o inferno nunca teve certezas. Esse seria sempre um pensamento intruso se metendo onde não era chamado. Temia o inferno, debochava, mas tremia.

Ao inferno com o inferno, pensou, deixando escapar a voz alta no quarto escuro; decidiu que daria para todo mundo como bem entendesse. Uma grande trepada é o que alimenta, festejou a puta-virgem de um orgasmo só, eufórica de sabedoria: tia Duca é osso podre, malnutrida, imagine se ela suporta ferver? Mulherzinha estragada, deve morrer de nojo na cama. Lucy estava na arrogância das certezas, achando que sabia tudo, nem de longe duvidava de que encontraria um jeito de cegar a tia e a cidade, deixando de olhos, braguilhas e carteiras abertas apenas os escolhidos. Passou em revista todos os homens que conhecia e, antes de dormir, já sabia por onde começar.

50 **Capítulo 11**

Dois dentistas para todas as bocas da cidade. Um mais velho, respeitado, de confiança, pai de família, barriga bem alimentada, homem bom e caro. Seu consultório na praça tinha uma imponente escada de mármore. O outro, mais moço, era solteiro comprometido, menos experiente, mas esforçado, tinha o preço mais em conta. Seus clientes moravam longe, andavam muito para chegar ao consultório, melhor mesmo que não tivesse uma grande escada.

Quando Lucy inventou sua dor de dente, sabia na cadeira de quem ia acabar parando. Tia Duca nunca surpreendia, e quem é previsível demais oferece o pescoço ao cabresto. A consulta foi marcada com o doutor Maneco, o que não tinha barriga. Escadas só para Cleia e Valéria, bingo. Lucy pôs o vestido certo, sabia o que fazer com ele, já tinha a cena toda na cabeça. Esperou a hora de entrar, estava nervosa, querendo escorrer perna abaixo. Teve vontade de desistir, mas ignorou, ia até o fim.

Então doutor Maneco mandou Lucy para a cadeira e, cheio de concentrada paternidade, perguntou que dente doía. Ela procurou o olho dele antes de abrir a boca, mostrou com a ponta da língua um dente qualquer. Viu ele se agitar um pouco, perturbado por um vento invisível. Talvez tenha desconfiado sem saber que desconfiou. Tenha calma, doutor, prossiga, comandou em silêncio. Educado ele pediu: Ponha o dedo pra eu ver. Não era o começo que Lucy tinha imaginado, mas é bom deixar o imprevisto dar algumas ideias. Pedir Lucy para pôr o dedo na boca era cutucar seu ponto fraco, apertar o gatilho. Ela obedeceu, levou o dedo na boca e chupou. Um sangue subiu para a cara abusada dela, sem despistar ela gostou. Tinha mesmo vocação. Doutor Maneco assustou. Ensaiou recusar. Não sabia o que fazer com a oferta. Era comprometido. Lucy não deixou ele pensar. Sem tirar os olhos do olho dele, segurou sua mão firme e pôs por dentro do decote entregando seu seio macio e oferecido. E então começou a não ser mais virgem.

Ele trancou a porta. Ela destrancou as pernas. Tinha ido sem calcinha, e a má intenção da menina fez Maneco perder o pudor. Eles se atracaram na cadeira inclinada. Ele apertou os seios dela, lambeu, mordeu. Segurou a bunda redonda, enfiou a cara nas coxas roliças, a língua lambendo tudo, molhando os buracos alagados. E então penetrou em Lucy. Ela sentiu dor, mais do que com os dedos do tio, e queria que doesse mesmo, gostava daquela dor misturada com um não poder parar e foi mexendo com força até que ele gozou abafando o gemido para não ser ouvido na sala de espera. Tolice, gemidos naquele lugar eram sempre de dentes adoecidos, ninguém suspeitaria. Mesmo assim, ele se apressou em pôr a roupa, Lucy preferiu demorar. Espalhou o que escorria dela passando a mão com liberdade pelo corpo, certa da beleza que tinha. Sem dó, entregou a conta. Foi bom, não foi, doutor? Dr. Maneco olhava para ela querendo começar tudo de novo. Gostosa, a vadia. Podemos fazer mais, muito mais, muito muito mais gostoso, mas tinha um preço. Lucy cochichou no ouvido dele quanto ia custar a alegria. Era só o começo. Quer marcar outra hora pra gente continuar o tratamento? Doutor Maneco queria, se dependesse dele, o tratamento ia ser demorado.

Lucy deixou o consultório sem esconder um brilho no olhar. Tinha dado certo, ela podia fazer aquilo. Gostou de ver o susto na cara do doutor Maneco, viu ele confuso entre o certo e o errado, viu sua impotência diante do próprio pau duro. Viu um desejo inconsequente tomar conta dele. Se um dia tivesse que responder por aquilo, Maneco teria atenuantes, ia jurar que não teve saída. A beleza tem poderes de arrancar o sim.

No dia seguinte, Lucy já sabia onde continuar a brincadeira. Na farmácia. Seu Bento, o farmacêutico, era um homem antigo e cansado. Casado, tinha quatro filhos, a caçula da idade de Lucy.

Conhecido por sua serventia, nunca se recusava a ir, aonde fosse preciso, aplicar injeção em quem não pudesse andar até a farmácia. Lucy sabia que ia ser arriscado mexer com seu Bento. Ele era homem bom e correto, muito querido por todos. Conhecia a menina desde pequena, sempre foi respeitador e educado. Muitas vezes Lucy levou para casa os remédios que a tia mandava comprar, chupando as balas que seu Bento dava. Por ser um homem tão direito, na cabeça de Lucy, era a prova de fogo que procurava, se ele não escapasse ninguém escaparia. Se não procurasse a tia para denunciar o pecado, ninguém mais daria com a língua nos dentes.

Baseada em que Lucy tinha tanta certeza? Em nada, na verdade, não era certeza coisa nenhuma. Era pressa, vontade de ir direto ao mais difícil e testar logo as suas habilidades. Para começar, não via graça em seu Bento, tinha até um pouco de repulsa por sua cara encardida, a pele de idade avançada, o excesso de dobras e a falta de sal. Mas se convenceu de que não estava indo para o parque, agora era trabalho, queria se concentrar nesse propósito.

Com doutor Maneco tinha sido diferente, ele dava frio na barriga, tinha poderes de abrir o apetite dela. Mas, se queria ser puta, precisava aprender a não se importar com bonito, feio, velho, moço. Maneco tinha sido um capricho, uma exceção, queria perder a virgindade com alguém que gostasse, antes de perder a vergonha com qualquer um. A primeira vez merecia um pouco de purpurina e lantejoulas. Lucy, como toda moça, também tinha seus rituais. Mas, passada a festa, era hora de encarar o destino que escolheu. Coragem.

Quando Lucy chegou, seu Bento estava sozinho. Como sempre foi educado e brincalhão. Tá precisando de que, é só falar que a gente resolve. Lucy se debruçou contra o balcão apertando os seios e deixando que boa parte deles saltasse pelo decote. Fez cara de esquecida. Seu Bento não pôde deixar de notar o lance que a moça estava dando. Meio desconcertado, ficou relutante, mas aquele peito tinha um ímã, um ímã para quem não é de ferro. Enquanto ela passava os olhos pela prateleira de remédios fingindo não ver nada, ele lutava para não olhar. Perdeu. Bem que minha tia me mandou anotar o nome do remédio, agora não lembro. Oh! cabeça ruim. Mais ela falava, mais deixava o decote indecente. Ele olhava já um pouco aflito, sem saber se devia avisar a moça do descuido. Sem parar de olhar, despistava: Pra que dor é? Acho que é dor de mulher. A frase era boa, tinha mulher no meio, Lucy passou a língua nos lábios safada, estava ficando perto do lugar aonde queria ir. Foi então que ela deu o bote. Olhou para ele, olhou para o decote, olhou para ele de novo. Ela viu que ele estava vendo. Ele viu que ela viu. O senhor gosta? Seu Bento ficou branco. Vai desmaiar. Vai cair morto, pensou, já tomando distância do sacrifício. Pode olhar, seu Bento. E então com o dedo ela abaixou parte do decote deixando que o bico do peito pulasse para fora. Aquilo desalinhou as fibras dele. Não sabia o que fazer. Respira, homem.

Gaguejou. Esboçou repreender Lucy, mas era tarde, ela já tinha começado a gostar.

Eu deixo o senhor pegar. Eu deixo o senhor lamber. É só a gente ir lá dentro, o senhor vai ver que é um santo remédio. Seu Bento, com o coração na boca, não tinha força para o não. Vou. A perna parecia faltar. O juízo também. Sabia que não era certo, mas estava vivo de novo. Aquilo era emoção de verdade. Sentia o que nem se lembrava de já ter sentido. Era bom ser fraco. Vou. Foi. Ele e Lucy atrás da prateleira, num sem jeito de se agarrar em pé. Ele matando aos goles a sede de uma vida inteira. Todo o deserto alagado. Ela gostando de ver o que podia fazer com ele. Quem diria. Foi tudo com pouca imaginação e muita pressa, Lucy nem ligou, não dominava o cardápio, chegar ao fim ainda era mais importante do que caminhar. Concluído, deu o preço, prometeu repetir e foi embora. Seu Bento ficou lá sentindo culpa sem arrependimento. Pagava o que fosse para ter mais. Precisava de outra dose.

Agora não tinha volta. E assim foi. Lucy escolhia quem queria e lançava a flecha. Os homens eram pegos de surpresa, tomados pelo acontecimento. Talvez todo homem ali sonhasse ser arrebatado por uma beleza indecente. Sonhasse não decidir, não ser forte, sonhasse não ter que dar conta. Queriam ser levados por um vento que arrasta tudo, uma enxurrada desvairada, indo parar num gozo sem igual. Uma aventura na vida é pedir muito? Um minuto sem o peso do amor, da culpa, da responsabilidade, das contas para pagar, dos dez mandamentos. Jorrar um minuto em paz. Tinham direito a isso, depois estariam de volta, seriam de novo o que esperavam que fossem.

A vida lenta e arrastada da cidade morna entrou em desordem. Os homens tinham um segredo a proteger. Compartilhavam uma espera. Para quem ainda não tinha sido escolhido: quem seria o próximo? Para quem já tinha sido: quando seria a próxima vez?

Uma agitação subterrânea estava em curso. Estavam cheios de providências para manter o paraíso funcionando na terra. Um dando cobertura ao outro, arranjando lugares, combinando horas, emprestando dinheiro e álibis. Lucy se tornou um tesouro de todos.

Para colocar a roda girando, ela se ofereceu como voluntária da igreja em sua luta de arrecadar fundos. Com as bênçãos de tia Duca, saía pela cidade mostrando quanta caridade estava à espera de generosidade. Visitava uma ou outra casa em busca de doações das senhoras de alto respeito. Mas se concentrava mesmo nos chefes de família. Explicava na igreja, sob o olhar agradecido das esposas, que os homens precisavam atender ao chamado de Deus, não podiam mais deixar sobre os ombros delas todas as exigências da fé. As mulheres ficavam aliviadas, já era peso suficiente ter que pedir dinheiro para as despesas da casa, dos filhos, dos médicos. Muitos nunca negavam, mas todos sempre deixavam escapar um certo desgosto com tantas demandas. Pequenas humilhações. Mal-agradecidos, não reconheciam os esforços em fazer o dinheiro render. Lucy se oferecia ao sacrifício: eu posso pedir a eles que ajudem, as obras da igreja não podem parar. Deus estava intervindo. O dinheiro começou a entrar como nunca, e as mulheres tramavam fervorosas os encontros de Lucy com seus maridos. Tolas, em nome de Deus, mas tolas.

Lucy, prendada que era, aprendeu rápido a ser puta. Sabia ganhar dinheiro mantendo os homens na fila, disponíveis na alegria e na tristeza, na saúde e na doença. Alguns ensaiaram pedir exclusividade, se ofereceram para fugir, prometeram mundos e principalmente fundos. Mas Lucy ria desavergonhada. Quem dá muito espera muito em troca. Pra fazer o que eu quero, onde eu quero, quando eu quero, com quem eu quero, só sendo dona de mim. Ninguém está obrigado a nada pra não achar que pode me obrigar a alguma coisa.

Em casa, seguia mais recatada do que nunca. Para o tio fazia confissões rápidas e precisas, nas horas mais arriscadas. Ontem trepei com o açougueiro, sentei na boca dele, bem que ele sabe chupar uma mulher. O tio ouvia calado sem esconder o desejo que sentia. Olhava descarado a sobrinha de cima a baixo e mantinha seu corpo bem longe do dela. Qualquer faísca ali jogaria tudo para o alto. Algumas vezes, quando Lucy ficava comportada demais, tio Brando provocava: E então, quem anda se divertindo entre suas pernas? Ela adorava essa intimidade, escolhia as palavras mais cruas que conhecia, contava tudo de um jeito reto e vulgar. A brincadeira era espalhar desejo falando, fazendo imaginar, enquanto o corpo padecia para dar conta dos afazeres banais como arrumar cozinha, varrer casa, passar roupa. Quem visse de longe não notava o pecado, apenas dedicação com as tarefas de uma vida simples.

Ela e o tio gostavam um do outro. Se divertiam. Não era preciso combinar as regras, os dois sabiam sempre o que estavam jogando. Mais do que nunca, a água estava no fogo, mais cedo ou mais tarde ia ferver.

58   **Capítulo 12**

Tia Duca acordou cedo. O dia era o mais esperado do ano. 59

Noêmia, a filha mais velha da amiga mais confidente de Duca, ia casar. Há meses ela testemunhava uma certa briga interna entre uma alegria sincera e uma inveja velada. Deixava. Não tomava partido e nem sob silêncio admitia que o coração estava em guerra. Cleia e Valéria não tinham ainda conquistado nem namorado, quanto mais marido. Estavam lentas demais. Isso angustiava Duca.

Ao mesmo tempo, se animava com a ideia de que Noêmia ia casar com festa, muito luxo, muita fartura, uma oportunidade preciosa de exibir nos salões a felicidade que se recusava a comparecer no dia a dia. Ser convidado já era ser importante, a cidade inteira estava com os olhos em cada detalhe. Duca mandou fazer roupa para ela e para as meninas. Até Lucy, que sempre herdava as roupas das primas, ganhou vestido novo. Compraram sapatos de salto, meias, brincos e maquiagem combinando com o vestido. Duca, se achando ousada, comprou roupas de baixo novas, coisa que costumava fazer só quando ia ao médico. Poucas vezes pensava em si mesma. Estava sempre na urgência do outro ou na vigília do passo alheio. Passava a vida tomando providências, mandando limpar, mandando passar, mandando consertar, mandando rezar. Mas nesse dia, ao contrário de todos os outros dias, tudo podia esperar.

No meio de toda excitação, vez ou outra se ausentava, por segundos, com os olhos parados e o pensamento distante. No fundo não se conformava, doutor Maneco podia ter escolhido Cleia ou Valéria. Noêmia não tem o sal das meninas, não tem mesmo. Mas era só apertar um pouco o parafuso da inveja para Duca se penitenciar valorizando como ninguém as bênçãos do que estava para acontecer. Falava no volume máximo e com a voz mais aguda do que de costume, entre sorrisos e olhos úmidos, sobre a felicidade que estava sentindo: Noêmia é mais do que uma filha pra mim, é uma bênção esse casamento! Não mentia, nem quando escondia seu despeito, nem quando se mostrava exageradamente feliz. Estava mesmo sofrendo de contradições.

O dia seguiu assim até que chegou a hora de ir para o salão. Duca foi na frente com as filhas e combinou de Lucy ir depois. Deixou para a sobrinha, entre louvores e elogios, a tarefa de passar, do jeito que só ela sabia, os vestidos da festa. Lucy tinha a virtude incomparável de deixar qualquer roupa impecável, ganhou de Deus esse talento, que o multiplicasse! Deus dá de bom grado, mas exige retorno. Assim que você terminar, você vai, filha. Feita a homilia, saiu de coração leve, certa de que acabara de dar à sobrinha a oportunidade de ficar mais perto da salvação. Com isso, sentia a alma hidratada, conquistando o direito de cuidar do corpo, se entregar a pequenas vaidades como fazer as unhas e pentear os cabelos. Mais uma vez, enquanto Duca ia com a farinha, Lucy confeitava o bolo.

Ficar sozinha com Brando aquele dia era o esperado. Tinha chegado a hora: queria o tio, e, para ele, tudo que ela sabia fazer ia sair de graça. Não precisava mais da tia, nem da casa, nem da vida ao lado deles. Estava pronta para odiar abertamente. Mal Duca saiu, ela se encheu de um desejo poderoso. Procurou Brando na sala. Ele estava lá, esperando por ela. Existia uma emoção silenciosa amarrando os dois, estavam encharcados da mesma umidade. Eram dias, meses, anos indo dar naquela sala. Ele continuou sentado na poltrona, inseparável de seu sorriso, era um observador de araque, fingia afastamento, na verdade pulsava por dentro, estava possuído, seria uma presa fácil nas mãos dela.

Lucy sabia ser gentil, só mais tarde foi preferindo ser vulgar, aprendeu a gostar da força das palavras escancaradas. Mas naquele dia estava disposta a delicadezas. Não disse nada, se colocou de pé diante do tio. Depois, com a voz mais suave do que de costume, convidou firme, sem espaço para recusas: Levanta, vem cá. Brando obedeceu. Eles ficaram cara a cara. Se olharam. Por um tempo, ficaram ali esquecidos. Um na frequência do outro. No ar, eletricidade. Lucy abriu a calça do tio e foi descendo com ela, devagar e atenta, passeando os olhos na pele que descobria. Eu tenho um presente que venho preparando há muito tempo. Se abaixou e começou a beijar suave o pau de Brando. Como quem faz amor. Beijou, lambeu, chupou, revezando as habilidades. Foi do delicado ao firme, do devagar ao rápido. De menina a puta. É isto, meu tio: goste. Não pense em nada: guarde. Não esqueça nunca mais: mergulhe. Ninguém vai chupar seu pau como eu. Goze.

Nesse momento, Duca entrou na sala falando qualquer coisa sobre ter esquecido um chinelo. Lucy não parou. Brando já não podia mais parar. O que é isso, Brando? A explosão tinha começado, não tinha volta. Duca custou a entender o que estava acontecendo. A água estava vindo, poderosa, arrancando mil árvores, desflorestando Brando. Duca deu um passo para trás. Não podia acreditar. O rosto inflamado, o peito querendo arrebentar. Brando explodiu barulhento em mil pedaços espirais, mil ondas vertiginosas! Ele se contorcia de prazer, Duca, de ódio. As caras, deformadas pela intensidade, eram dois opostos refletidos. Sua ordinária, vagabunda, fora da minha casa, agora. Eu vou te meter a mão. Eu não acredito, Brando, como você tem coragem? Na nossa casa? Sua vadia, vagabunda, você vai pro inferno se Deus quiser. Por que, Brando? Por quê? Sai da minha casa, sua filha da puta. Eu quero que você morra de fome, na miséria, sozinha. Eu te dei tudo, vagabunda, te dei casa, te dei amor. Ingrata, miserável. Eu tratei você como uma filha!

Mentira! Men-ti-ro-sa! Lucy, que ouvia o ódio de Duca com a melhor cara de vagabunda que sabia fazer, zombando sem cerimônia, com o pau de Brando aguando sua boca, foi golpeada, explodiu em berros: Men-ti-ro-sa! Você me tratou como filha? Mentirosa, beata falsa, bondosa de meia-tigela. Não teve um dia sequer que você não tenha me lembrado que eu não sou sua filha e jamais seria. Você não me deu amor, me deu esmola, migalhas, restos. Me usou pra tentar convencer Deus de sua bondade! Seu Deus. Você trancou as latas de biscoito e só escondeu as chaves de mim. Serviu meu prato com o tamanho da sua fome. Lavou separado as minhas roupas. Meu cobertor era ralo. Você me controlou, exalou sutil o seu asco grosseiro, me fez respirar todos os dias o seu ódio cordial. Megera. Eu vou embora, mas não vou passar fome, não vou ser miserável, não vou para o inferno. Sabe por que, titia? Porque não é você que decide isso. Porque Deus não gosta mais de você do que de mim. Implore por minha desgraça, reze todos os terços pra Deus me levar pro inferno, e, ainda assim, as minhas chances de conhecer o paraíso são iguais às suas. Sua boceta gelada peca tanto quanto a minha. Peca de desamor. Eu acabei de fazer esse homem, que dorme na sua cama morna, ir para o paraíso. Então me diga, titia, quem faz o bem aqui, você ou eu?

Duca tinha o horror nos olhos. Estava tomada de um desespero de morte. Queria morrer. Não tinha forças para reagir, estava esmagada. Olhava para Brando e não via nele nenhum amor, nenhuma proteção, nenhum movimento para negar o que estava acontecendo. Ela queria que ele gritasse perdão. Ajoelhe, implore! Cale a boca dessa piranha. Essa boca imunda. Mas ele não fez nada.

Lucy, antes de sair da sala, não teve piedade, cochichou no ouvido do tio: Ainda quero você dentro de mim. Um movimento de intimidade, um segredo entre eles, que tirou de Duca qualquer saída para o esquecimento. Lucy foi embora. Saiu da casa. Saiu da cidade. Mas nunca mais saiu de dentro deles.

Duca ficou sozinha com Brando. Um abismo de solidão engolindo os dois na sala. Então disse com todo o rancor que conseguiu reunir: Eu não vou te perdoar nunca. Brando olhou para ela com uma emoção desconhecida, disposto a não se afastar da própria voz: Você não vai me perdoar nunca, mas eu também não vou te perdoar por nunca ter me dado o que ela acabou de me dar. E sabe o que vai acontecer? A gente vai continuar vivendo um com o outro, porque é mais fácil não mudar as coisas. Estamos atolados no tédio. Não queremos nada, não fazemos nada, não sentimos nada! Temos um arranjo muito bom, não é, Duca? Bem útil pra quem não sonha com coisa nenhuma. Então, encontre o seu chinelo e vá se aprontar, hoje é dia de festa. Deixe o luto pra depois, temos o resto da vida.

Capítulo 13

Duas mães pedem a Deus, com devoção extrema, que livre seus filhos da dor, do sofrimento, do desaparecimento, da morte. Pedem todos os dias saúde e proteção para eles, como se pedissem, sufocadas, um pouco de ar para elas. Suplicam, sem coragem de duvidar que serão atendidas. Confiam. Entregam a Deus seus corações apertados e reconhecem humildes que amor demais é um despreparo para a dor.

O filho de uma delas morre de maneira cruel e covarde. O filho da outra prossegue forte e abençoado. Uma conquista atrás da outra. A boa mãe do filho vivo agradece todos os dias. Não se cansa de dar graças: Deus é tão bom pra mim, ouve as minhas preces em seu coração generoso. Que testemunho sobre Deus a outra boa mãe, que sofre a perda brutal de um filho, deveria dar?

As duas mulheres rezaram tanto, pediram com fé sincera. Sempre amaram o próximo, não roubaram, foram dedicadas e fiéis a seus maridos. Nunca mataram e amaram a Deus sobre todas as coisas. Fizeram sempre o que aprenderam ser a vontade do Senhor. Não deveria Deus, em sua imensa bondade, proteger os filhos das duas? Não seria justo que assim fosse? No entanto outro enredo se desenrola: para uma delas, todas as bênçãos; para a outra, o maior dos sofrimentos. De que é feita então a justiça divina? De mistérios que devemos engolir como saliva? Se Deus sabe o que faz, e sempre faz o que quer, para que servem a prece e o fervor de quem suplica? Será um capricho nos querer ajoelhados? A vida revela sem constrangimento que alguns são ouvidos, outros não. Acaso não somos todos iguais diante do Senhor? Se o exemplo vem de Deus, se devemos buscar ser sua imagem e semelhança, que exemplo Deus nos dá quando uns se tornam mais merecedores do que outros? Não estaria a justiça divina inspirando a injustiça humana?

Alheias a qualquer pergunta, algumas mães de filhos mortos encontram força em acreditar que a vontade de Deus anda sempre junto com sua bondade. Não duvidam: foi da vontade do Senhor a morte violenta de meu filho. Não compreendem, mas aceitam humildes a provação. Nenhuma folha cai sem que Deus permita, Ele sabe para que serve a minha dor. O sofrimento, por uma insanidade humana ou por uma perversidade divina, tem valor. Assim creem os que creem. Encontram no calvário um sentido para além da vida. Todo o propósito oculto das coisas a Deus pertence. A dor sem tamanho afasta a coragem de não crer. Aceitam esse Deus imperfeito feito à imagem e semelhança dos homens.

Outras mães desistem. Não podem mais se entregar a uma fé que não explicam. Não sentem a bondade atrás da vontade de Deus. Sentem o abandono. Definham. Não querem mais amar a um Deus que não pôde proteger seus filhos. Enfrentam sozinhas a revelação: a ilusão está nua, a vida é deriva.

Com Dalva foi assim.

No dia em que Venâncio arrancou o filho dos seus braços quentes e o atirou longe, ela conheceu a dor desumana de perder tudo. Perdeu o homem que amava, o filho que amava e a fé. Venâncio bateu nela, e a misericórdia de Deus não veio ao seu encontro. Continuou viva. Morrer teria sido um gesto de bondade, morta perdoaria Deus. Queria a inconsciência, não mais saber, não ter visto, não ter vivido. Mas, ao contrário, o escuro estava aceso como nunca, tudo estava lá no seu corpo pesado e impotente, na sua alma ensanguentada. Não esqueceria. Perdeu todas as palavras.

Venâncio saiu de casa com o filho nos braços enquanto Dalva, no chão, tentava se levantar. Queria ter forças para buscar e proteger o filho, para correr atrás de Venâncio, mas o corpo não obedecia. Tinha gosto de sangue na boca, e os olhos mal se abriam. Mesmo assim, arrastou seu peso, tentou ficar de pé nas pernas trêmulas. Caiu. Não podia se lembrar direito do que tinha acabado de viver. Sentia o dente arranhar a língua ferida. As lágrimas não desciam. Queria com sede suas lágrimas, queria chorar todo o seu sangue. Virar poça. Mas o susto secou suas águas. Foi traída. Tentava pensar no rosto do filho e não conseguia se lembrar. Entrou em desespero, o ar desapareceu. Não viu onde o filho caiu, não sabia se ele tinha chorado. Que mãe era ela que não sabia? Por favor, filho, me perdoa. Na sua cabeça vinha o ódio que viu nos olhos de Venâncio, olhos que ela gostava tanto de olhar. De onde veio aquele ódio? Filho, por favor, não olhe. Dalva desacordou, precisava morrer um pouco.

68   **Capítulo 14**

A mãe de Dalva tinha nome de amanhecer: Aurora. O nome que ela ganhou ao nascer foi sendo conquistado ao longo da vida.

Aurora iluminava as pessoas, as coisas, as tarefas mais banais. Via graça em tudo que fazia, ao contrário de só querer fazer o que via graça. Enchia a boca pra dizer: É pra varrer? Vamos varrer, se você dança com a vassoura, ela dança com você. Se é pra lavar, lave, que a alma sai limpa do esforço. Sofrer com miudeza é querer ser infeliz, ignore o cisco. Se o corpo cansa, dê a ele um tempo, quase tudo pode esperar. Nunca lamentava, dava um jeito de trazer a alegria para perto. E como o rio corre para o mar, a alegria sempre dava um jeito de amanhecer com Aurora. Tinha saúde.

Teve sete filhos. Três homens e quatro meninas. Seu gosto pela vida, sua risada larga, sua boa vontade de servir nunca foram impedimento para disciplinar os meninos. Não tinha grito, não tinha beliscão debaixo da mesa nem vara de marmelo. Seu segredo era não gastar autoridade com não frouxo. Aprendeu com o pai. Segundo sua sabedoria discreta, para dizer um não, era preciso ter ele bem certo por dentro. Se mandava um filho fazer alguma coisa, era com delicadeza na voz e nas palavras, mas não aceitava má vontade. A cara tem que ser boa pra coisa ser bem-feita. Se algum filho amanhecia de ovo virado, Aurora sabia deixar o ovo desvirar. Dava um passo para trás e abria espaço. Relevava, fazia vista grossa, mas, se descarrilhasse demais, a conversa com ela era reta e firme. Funcionava.

O pai de Dalva, seu Antônio, era mais bravo, mas Aurora sabia abaixar a fervura dele. Não trombava de frente, esperava a hora de ganhar o sim. O bom humor acabava vindo e, na maior parte das vezes, com o fim de semana. A música morava com eles na sala. Seu Antônio tocava violão. A família inteira gostava de cantar, a casa ficava cheia de vozes. Os amigos encontravam sempre a porta aberta e a mesa posta, e aí ninguém tinha pressa. Entre sexta e domingo, a festa sempre dava um jeito de aparecer.

Mas, quando a segunda chegava, a casa virava outra. Os dias começavam bem cedo e acabavam exaustos. Seu Antônio tinha uma venda de verduras, legumes, doces caseiros, biscoitos. Perto da cidade mantinha um sítio onde plantava quase tudo o que vendia. Era a parte do trabalho de que mais gostava, vivia dizendo: Ainda vou viver só plantando e colhendo. Tinha saudade da fazenda do pai, lá do outro lado do país, uma saudade que pesava em seu coração. Trabalhava igual a um condenado, corria de lá para cá e vivia para a família. Todo mundo da casa ajudava, cada um tinha suas tarefas diárias. Isso era de lei.

Aurora fazia empadas para a venda do marido. Eram famosas e, justiça seja feita, com toda razão. As empadas de Aurora eram disputadas a tapa todo fim de tarde. Quem não gostava nada desse sucesso eram as filhas, obrigadas a se revezar na tarefa odiosa de levar, a pé, um tabuleiro enorme de empadas até a venda. Não era perto e, com o sol quente, virava o lugar mais longe do mundo. Quanto mais moças ficavam, mais vergonha tinham de carregar aquele tabuleiro. Não é justo, por que os meninos nunca vão? Se abriam a boca para reclamar, Aurora registrava em silêncio a pirraça e no dia seguinte entregava o tabuleiro novamente para a insatis-feita da véspera: Vai lá, meu bem, ontem você não foi feliz, quem sabe hoje as coisas melhoram. Queriam morrer nessas horas, mas acabaram aprendendo que sabedoria mesmo era nunca reclamar.

Foi muito fácil estranhar que de uma hora para outra Dalva tomasse gosto de levar as empadas. Era bater o cheiro na sala que a menina rodeava a cozinha e se alistava: Deixe que eu levo, mamãe.

Oh! menina boa. O tamanho do milagre deixou Aurora desconfiada: nesse mato tem cachorro dos grandes. Mas, como um problema a menos é sempre bem-vindo, foi dando corda para a boa vontade da filha. Vai, minha filha, vai que eu estou atenta.

Dalva, então, saía com o tabuleiro na mão e uma pressa alegre, difícil de despistar. Bem que ela tentava. Sua beleza de brisa vinha aos poucos, era preciso demorar os olhos nela. Tinha um jeito de andar bom de ver, a cabeça erguida e um balanço suave, com música no passo. O vestido não mostrava nada, mas convidava a imaginar. O corpo era bem-feito. O cabelo tinha ondas atrevidas, e, se o vento soprava, escapava uma liberdade selvagem, que pertur-bava. Os olhos de jabuticaba eram molhados e grandes, mas quase fechavam quando ela ria. Nessas horas, como quem encontra um ouro no meio das pedras, escondido e precioso, quem via Dalva sorrindo se dava conta do quanto ela era bonita. A certeza vinha, dava vontade de ficar perto.

Com o tabuleiro na mão, de uma hora para outra, passou a atravessar a cidade cantando baixinho, se divertindo sozinha, gostando de fazer o que estava fazendo. Três casas antes de chegar à venda do pai, o coração de Dalva disparava, ela apertava um pouco mais o tabuleiro, respirava diferente e passava, mais cheia de graça do que nunca, em frente à marcenaria dos Alves. Lá dentro estava Venâncio.

Capítulo 15

Venâncio foi menino junto com Dalva. Brincavam pela rua afora naquela idade em que meninos e meninas mais se toleram do que se atraem. Dalva achava Venâncio bem esquisito, de uma família mais esquisita ainda. O pai dele sempre falava aos trancos, dava ordens demais. Queria achar briga em qualquer conversa. Venâncio ficava calado, rodeado por uma tensão invisível. Vigiava as esquinas. Se o pai aparecia lá longe, ele largava tudo e ia correndo, cercava o pai por lá mesmo, para não deixar ele chegar perto demais dos amigos. Tinha vergonha da brutalidade dele. Muitas vezes quis que o pai desaparecesse. Sofria a insuportável saudade de ter um pai que nunca teve. Com o tempo, a vida dos dois juntos foi ficando perigosa, um ódio lento endurecia tudo, tinha vontade de machucar o pai. Queria doer nele a dor que sentia. A mãe de Venâncio, dona Inês, no fundo do seu coração apertado, escutou que o filho precisava de alívio. Mandou o menino para a casa distante de uma irmã solteira e querida, a única que tinha. Lá ele foi ficando, vivendo, cercado de cuidados, uma vida sem atrito, mesmo assim, seu coração não descansava, não sabia ser alegre, não desaprendia os anos que viveu com o pai.

Seu José queria o filho de volta, não se conformava, reclamava aos berros. Vai querendo, pensava dona Inês. O marido despejava nela toda a sua amargura. Ninguém para ajudar a carregar aquela cruz pesada, aquele homem áspero e infeliz. Ela aguentou por muito tempo, calada, até que, sem dizer nada, fez as malas e foi viver com o filho. Seu José gritou o quanto pôde, esperneou, ameaçou, mas dona Inês deu uma banana para ele e fez o que queria fazer.

O abandono e a solidão, com o passar dos anos, adoeceram seu José. Ele foi ficando lento e calado, foi se envenenando com as raivas contidas, as palavras apodrecendo dentro dele, as paredes sem ouvidos devolvendo em ecos ampliados a dor de não ser amado. Ninguém por perto. Quando caiu de cama, sem forças, Inês e Venâncio voltaram para casa. Ela assumiu resignada os cuidados com ele. Tratava com respeito, sem intimidade, e não se cansava de dizer que faria o mesmo até por um cachorro. Não reclamava do cansaço de cuidar de um homem na cama, sabia que a caridade tem seu lugar no coração de Deus. Tirava forças dessa certeza.

O filho voltou com ela para cuidar da marcenaria. Não sabia nada, sempre quis manter distância, mas ficou urgente aprender. Ele e a mãe dependiam do dinheiro para viver, um dinheiro que o pai, mesmo consumido pelo ódio do abandono, nunca deixou faltar.

Não foi fácil chegar em casa, ficar diante do pai frágil e dependente, incapaz de atormentá-lo com sua voz pesada, suas palavras espinhosas. Preso à cama, preso ao corpo, os olhos do pai – sempre molhados, como se quisessem ser perdoados – acompanhavam seus movimentos com devoção e eram, para Venâncio, mais difíceis de serem enfrentados do que todas as iras juntas. Não sabia o que sentia, mas sabia que não havia mais o que fazer, estavam perdidos um para o outro, não acertariam as contas, não esqueceriam. Não havia palavras, não havia ternura, não havia desejo de tomar o pai nos braços para ter ele de volta, mas havia uma vontade insuportável de que tudo isso estivesse lá, ao alcance dos dois, capaz de refazer o que eles não puderam ser um para o outro. Presos no desamor, viviam acorrentados como quem ama.

Quando Venâncio voltou, voltou homem. Traços fortes, beleza morena e rude. Olhos profundos e uma solidão triste, que não deixava ninguém chegar muito perto. Parecia lutar por dentro, uma luta perdida, sem vencedor, sem descanso e sem fim.

Passava o dia na marcenaria, concentrado em aprender tudo aquilo. Seu Amim, um velho ajudante do pai, ensinava generoso o jeito de dominar a madeira, cortar, lixar, esculpir, colar, pregar. Venâncio tinha paciência e talento e, enquanto as mãos trabalhavam concentradas, os tormentos escapavam no bater dos pregos, no som do serrote, no pó da madeira.

A marcenaria dava para a rua, portas largas e abertas para ventilar os cheiros e as poeiras. Quem passava pelo passeio em frente podia ver as gavetas sendo feitas, os móveis usados ficando novos, os detalhes ganhando vida. Era comum que alguns se demorassem apreciando a habilidade dos marceneiros, vendo a beleza ganhar utilidade, se enchendo de vontade de levar para casa as mesas, as camas, os criados que viam ali.

Talvez por isso, quando Dalva diminuiu o passo até ficar com os olhos parados lá dentro, Venâncio não tenha percebido de cara o que estava provocando. Era para ele que ela olhava, tomada por uma perturbação imprecisa. Uma confusão estranha. Levou um tempo para reconhecer no homem que via o menino esquisito da infância. Ele estava de volta. A presença insistente de Dalva fez Venâncio parar e olhar para ela. Nesse momento, quando um viu o outro, uma desorganização abundante tomou conta deles, os corpos tensionaram afetados por ondas mágicas, ventanias, litros derramados. Começava ali o amor dos dois. Não fizeram nada, não disseram oi, nenhum sorriso, nenhum aceno, nada. Dalva apenas notou que o tabuleiro esquecido se inclinara com risco de espatifar as empadas no chão. Retomou o passo indecisa e seguiu para a venda do pai. Venâncio largou o que fazia e foi até a porta ver Dalva se afastar. Pela primeira vez, gostou de ter voltado.

Capítulo 16

No caminho para casa, Dalva foi brigando de ponta a ponta consigo mesma. Deu a volta pela rua de baixo só para não passar em frente aos Alves. Desencontrou a coragem. Que diabo! Foi deixando escapar xingamentos, endurecendo o passo. Que vergonha! Nem cumprimentei o menino. A cabeça repassando insistente o encontro dos dois. Os olhos de Venâncio olhando mil vezes nos olhos dela, esfriando sua barriga. Tomou ali mesmo a decisão de que ia consertar o absurdo, já tinham sido amigos, de um jeito meio bambo, é verdade, mas suficiente para não agarrar a língua daquela maneira. Conhecia Venâncio. O que deu nela? Por mais que tentasse preparar o dia seguinte, ensaiando pequenas falas, antecipando o jeito de se comportar, a ansiedade tomou conta. Nunca tinha sentido aquilo, uma vontade de correr nas duas direções, a que junta e a que separa. Ficou imóvel, nem cantar cantou naquela noite. Se entregou amolecida à turbulência que desandou dentro dela. Só fazia lembrar. Acordou diferente, já querendo sentir o cheiro das empadas.

Com Venâncio foi do mesmo tamanho. Os olhos dela também grudaram nele. Reconheceu Dalva no instante em que olhou para ela. A menina magrela do olho grande, que não podia ver um bicho sofrendo na rua que levava para casa. Lembrava a coragem dela de enfrentar o pai, que nunca aceitou morar com bicho nenhum. Mesmo assim, ela botava o cachorro ou o gato desprotegido numa caixa e ia com ele para o quintal. Não tinha medo. Dona Aurora dava cobertura, mas seu Antônio, quando descobria, ficava uma fera. Coitado do bicho, pai, ele é filhote, foi abandonado. Dalva dava um jeito de convencer seu Antônio, prometia levar o animalzinho embora assim que ele ficasse forte, o pai cedia por uns dias, contrariado. Ela abusava, esticava a corda o mais que podia sem nunca deixar arrebentar. Venâncio ficava impressionado como tudo acontecia sem solavanco. Dalva era leve. Não tinha quina. No dia em que viu ela moça, ficou embaraçado com o que sentiu. Deu pressa nele de ver de novo.

Dalva saiu com as benditas empadas, ainda quentinhas, espalhando uma fome gostosa por onde passava. Foi o caminho inteiro treinando o que ia dizer, mas na hora do vamos ver, quando passou em frente à marcenaria e viu Venâncio olhando para ela, só conseguiu falar um oi meio desafinado e apertou de novo o passo. As palavras sumiram todas juntas, traidoras. Voltou por onde veio, mas nem tentou olhar de novo para ele, o coração pipocava na boca, a valentia não vinha com ela. De noite ensaiava alguma conversa mais comprida, mas lá na hora travava. Um dia atrás do outro foi sendo assim. Ela passava, eles se cumprimentavam atrapalhados e não rendiam mais do que um oi tímido. Nem um "como vai?" escapava. Mas, mesmo nada acontecendo, aquele segundo era o mais esperado do dia. Se a boca dos dois era lerda, incapaz de recitar um texto mais elaborado, os olhos eram atrevidos, um entrava dentro do outro, e de alguma maneira um nó apertado foi sendo dado.

E então, quando tudo parecia incapaz de sair do lugar, a paixão tirou o pé do freio e, impulsiva, buscou o que queria. Dalva, como todos os dias, foi levar as empadas com o coração disparado de sempre, já tinha dado nome ao que sentia: gostava de Venâncio. Não queria outra conversa dentro dela. Procurava por ele aonde fosse, na porta da escola, na sorveteria, na missa de domingo, em cada esquina, em cada sonho, mas só o encontrava ali, na rotina das empadas. A espera por aqueles segundos em que se olhavam era longa, como se toda graça de viver fosse a conta apertada de chegar até aquele momento, quando se abasteceriam de um novo fôlego para suportar mais uma separação. Por isso, passar em frente à marcenaria e não ver Venâncio fez Dalva diminuir o passo até parar. Vasculhou cada canto, procurando por ele. Ficou desolada. Como ele podia não estar ali? Como podia? Decidiu: não perderia a viagem. Tomada por uma agonia desmedida, e num sem pensar corajoso, entrou marcenaria adentro. Colocou, sobre a bancada onde ele costumava trabalhar, uma empada. Queria que Venâncio soubesse que tinha estado ali. A empada, a mais bonita que encontrou, era um bilhete cheio de significados, uma declaração de amor, um puxão de orelha com uma azeitona no meio. Como ele podia não comparecer ao encontro deles? Dalva saiu confiante com a ousadia de confessar o que sentia: reclamar a ausência de Venâncio por alguns segundos pareceu fazer dela uma garota muito interessante. Mas foi a conta de pôr o pé na rua para a confiança evaporar. Começou a se sentir um pouco oferecida e, quando chegou em casa, acabou de se arrepender, queria cair morta de vergonha. A aflição roubou as evidências. E se ele não gostasse dela? O que ia pensar? Foi invadida pela ideia insistente de que Venâncio nem sabia direito que ela existia. Burra. Se ele quisesse alguma coisa, uma amizade que fosse, já teria se empenhado. E agora? Agora não tinha volta. Nunca mais ia passar por lá.

Nos dias seguintes, Dalva não foi levar as empadas, inventou uma moleza qualquer, e para a tristeza das irmãs o rodízio começou de novo. Dona Aurora desconfiou que a filha estava apaixonada, fez coisas gostosas de comer para ela, alguns carinhos mais demorados, mas não disse nada. Deixou a filha enfrentar sua primeira correnteza. Crescer nunca foi fácil, tem hora que o amor pode doer mais do que a dor. De dente, inclusive.

Como em todo rodízio que se preza sempre chega a vez da gente, a vez de Dalva chegou. Ela pensou em gritar socorro para a mãe, tão carinhosa naqueles dias, mas sabia que Aurora não ia permitir. Conhecia onde ela agarrava. Ia querer ver a filha sacudir a poeira. Quem deita demais o sofrimento monta. Vai, Dalva, leva as empadas pra venda antes que esfriem. Sem chance de escapar, Dalva foi. Se dependesse do tamanho do seu passo, elas iam chegar geladas. Foi quase se arrastando, pensou em dar a volta por baixo e evitar os Alves, mas, no fundo, queria saber como seria, queria ver Venâncio de novo. A paixão, mesmo no risco de não ser correspondida, enfrentou, desobediente, o medo. Não tem juízo que interrompa quem adoece de saudade.

Ele estava lá, na porta. Esperando por ela.

No dia em que viu a empada em sua mesa, Venâncio conheceu uma alegria nova, tão diferente da tristeza que vivia ao seu redor. Transbordou uma cara boa, uma animação saliente. Seu Amim, sempre discreto, não conseguiu segurar o comentário: Foi picado com força! Tô vendo que o veneno é poderoso. Venâncio acolheu a intimidade, deixou a alegria aumentar. Um dia feliz tem mais poder que a tristeza de uma vida inteira. Nele moram as reviravoltas. Então, quando Dalva sumiu, tanto tempo sem aparecer, ele foi ficando sem lugar. Foi vendo a cada dia uma irmã diferente passar. Agoniado, tomou coragem, ia perguntar por ela. Não podia estar errado, tinha visto: ela também gostava dele. Então foi para a porta e, quando viu de longe que era ela, Dalva, quem vinha, correu lá dentro para buscar alguma coisa. Antes que ela chegasse, estava de volta esperando.

Dalva diminuiu o passo, o tabuleiro não deixava esconder que as mãos tremiam. Venâncio disse um oi calmo e entregou a ela uma caixinha de madeira feita por ele. Senti a sua falta, Dalva. Ele tinha dado um salto, era um homem, de onde tirou coragem? Ela deu um sorriso tímido, comovido, ficou mais linda do que nunca se demorando no olho dele. Ouvir Venâncio falando seu nome foi música. A música de que tanto gostava, daquelas boas de cantar, que afloram uma pele sensível. Pôs o tabuleiro de lado, pegou a caixinha talhada na madeira clara e abriu devagar. Dentro tinha um cachorrinho de brinquedo, um filhotinho gracioso, com um pescoço de mola, balançando a cabeça como se pedisse colo. Os olhos de Dalva se encheram de água. Ela queria abraçar Venâncio. Cuidar dele, gostar dele para sempre. É lindo, Venâncio, é o presente mais lindo que eu já ganhei. Esse vai poder ficar com você pra sempre, seu pai não vai implicar. Dalva riu, desconfiava que não seria bem assim. Mas naquele momento estava encantada demais para se preocupar. Só conseguia pensar que Venâncio já tinha reparado nela, lembrava suas histórias, as brigas com o pai por causa dos filhotes que acudia. Tinha confessado: prestava atenção há muito tempo. Foi você quem fez? Ele confirmou. Por segundos, não conseguiam dizer mais nada. Estavam apaixonados, precisavam de beijos e não de palavras. Eu tenho de levar as empadas. Não queria, mas precisava ir. Venâncio se ofereceu para levar ela em casa. Dalva foi e, quando voltou, ele foi com ela.

Capítulo 17

Os lábios dele tocaram de leve nos lábios dela, como o pouso de mil borboletas brancas. Tomaram uma distância miúda, quase invisível, e se encostaram de novo, um vai e vem sereno embalou os dois aumentando aos poucos a vontade de demorar ali. As línguas se tocaram macias, se afastaram tímidas, se entregaram a uma brincadeira de dançar juntas, exploraram o desenho da boca, tocaram nos dentes perolados, venceram todas as distâncias, reconheceram texturas, tomaram gosto. Um molhando o outro com suas águas boas, um dentro do outro naquele primeiro beijo de parar o mundo. Os olhos fechados num escuro quente. As mãos tocando os cabelos desalinhados, agradando as faces avermelhadas pelo calor de dentro. É para coisas assim que nascemos. Quem para o tempo nesse sentir sai diferente. Muda. Conhece a força de existir.

E depois do primeiro beijo, vieram outros. O corpo querendo chegar mais perto, se perder nos abraços. A mão encontrando a pele, conhecendo os relevos. As matas. As grutas. Um rio largo e farto, manso em seu fluxo, lavando tudo, fertilizando os dias, umedecendo o árido, enfrentando as quedas, as curvas, as tempestades. Confiante de um dia ser mar. O amor, quando nasce forte, tem pressa de ser eterno. Nem se dá conta de que é carne úmida. Os dois foram vivendo aquele desejo despreparado de limites, cada vez mais esquecidos das regras, dos outros, das satisfações exigidas. Só queriam saber das vertigens. E é claro que ignorar o resto do mundo incomodou o resto do mundo, sempre incapaz de tolerar doses tão abundantes de felicidade.

Seu Antônio esperou Dalva na sala aos berros. Teve notícias de que a filha andava se engraçando com o filho de seu José. Aquele homem infeliz, empenhado em incomodar os outros. Atritar. Filha minha querendo cair na boca maldosa da cidade? Sendo fácil nas esquinas, no caminho de casa? Dando intimidade pra esse moço esquisito, se esfregando nesse filho de peixe? Mas é nunca. Tem que ter permissão, viu? Tô avisando, Dalva, acabe com isso.

Aurora achou um exagero, teve a bondade de apertar a mão da filha e a paciência de se calar. Aguenta firme, Dalva. Quando o marido passou do limite — tá achando que eu te criei pra ser vagabunda? Se perder por aí, na mão de qualquer um? Te mato antes de morrer —, Aurora interrompeu, disse para ser ouvida: Chega, Antônio, chega. Ele pensou em reagir, estava gostando do palanque, de se exaltar na frente da filharada. Mas conhecia a mulher, sabia que ela não desperdiçava intervenção. Saiu batendo a porta.

Dalva perdeu a graça. Ficou triste com o corpo inteiro. As mãos tremiam, as lágrimas derramavam grossas. Teve raiva do pai, das palavras que ele atirou nela. Da grosseria injusta. Era amor. Não era falta de vergonha. Preferia morrer a não encontrar mais Venâncio. Ia ficar sem comer, sem levantar da cama, sem beber água. Não podia desaprender a gostar dele. Ia parar de existir. A mãe deu o colo que pôde, tentou diminuir a aflição da filha. Tenha calma, Dalva. Tudo tem jeito, deixe seu pai comigo, apenas tente ouvir o mais importante. Seu pai quer te proteger, cuidar de você. Não age assim pra te chatear. Não agarre na parte ruim. Mas Dalva agarrou. Não tinha consolo, ficou vendo e revendo o pai chamar ela de vagabunda. Lembrando a cara deformada que ele fez. Estúpido. Não ia perdoar nunca.

Aurora entrou no quarto, Antônio já estava na cama. O olho fechado fingindo um sono profundo. Era o jeito dele dizer que não queria conversa. Ela também sabia fingir que não entendeu o recado. Se precisasse, ia gritar: acorda! Estava furiosa. Não queria deixar para depois, esperar uma hora melhor, como sempre fazia. Naquele caso, tinha urgência de sacudir o marido. Antônio, a nossa conversa vai ser hoje, vai ser agora. Para Aurora o dia tinha de amanhecer de outro jeito. Não admitia ver o marido botar tanta culpa na filha por gostar de alguém.

Você foi injusto com Dalva. Injusto coisa nenhuma, Dalva escondeu da gente que estava de caso com esse moço. Tem dias que está enroscada nele, se agarrando em tudo que é canto. Mereceu. Esse menino não presta. Não presta por quê? Venâncio não é o pai dele, Antônio. Talvez até seja o oposto, porque sofreu como ninguém o gênio ruim do pai. Seu José é um homem infeliz mesmo, grosso, encrenqueiro, mas prestar ele presta. Desmisture. Deixe Dalva escolher de quem ela vai gostar. Mas seu Antônio não queria conversa, levantou a voz: Não começa, Aurora, chega! Achou que podia encerrar o assunto no grito: Está dito pra ela e pra você, Aurora, a-ca-bou.

Aurora respirou fundo, não ia desistir. Não ia permitir. Sabia gritar também, mas preferiu argumentos melhores. Escute, Antônio, com o coração que você tem, eu faço tudo que eu puder nesta vida por você, te respeito muito, mas não é obediência o que você pode esperar de mim, não tem nada que me afaste do que eu acho justo. Nada. Meus filhos vão escolher de quem eles vão gostar. Todos eles, um por um. Eu juro que vão. Ninguém vai herdar as suas brigas! Você pode aconselhar Dalva, mas não pode obrigar, sabe por quê? Porque é dentro dela que o homem que ela escolher viver vai entrar, não é dentro de você não, é dentro dela. Seu Antônio arregalou o olho: Que boca suja é essa, Aurora. Suja? Um homem entrar dentro de uma mulher agora é sujeira? Você vem entrando dentro de mim esses anos todos e isso é sujeira? Não é amor o que a gente faz? Não é sagrado o que a gente tem?

É diferente, Dalva é uma menina. Não, não é não, senhor. Na idade dela a gente já tinha intimidade, você já me conhecia muito bem. Arreda pra lá um pouco, sua filha cresceu, Antônio. Não tô dizendo que ela vai se deitar com Venâncio agora, tá cedo, tem muita água pra rolar, mas, se esse amor se firmar, é lá que o rio vai desaguar. Não é esse o caminho que uma moça deve seguir? Então, se você quer que seja feito direito, receba esse moço aqui em casa. Trate bem. É melhor eles ficarem aqui dentro do que lá fora, isso sim, precipita as coisas. Converse com Dalva, traga ela pra perto. A gente não deixa mágoa de filho ressecar.

Seu Antônio não disse mais nada. Calou irritado. Sabia que ia ter de aceitar aos poucos a razão de Aurora. Para ele, já era muito não render a conversa, mais difícil ainda era dividir o comando. Vencer a vontade de ser obedecido. Aurora nunca deixou ele ser um homem ignorante demais, sempre fez ele ver mais largo. Tinha sorte de ter uma mulher como ela. O sono demorou a vir. O peito apertou, não queria ter ferido Dalva, seu sabiá. Teve saudade dela pequena, de voltar o tempo, de voltar atrás. Adormeceu já querendo consertar as coisas.

Quando o dia nasceu, Antônio foi ao quarto da filha. Ela estava acordada, encolhida sob o cobertor, sem forças, consumida de tristeza, os olhos, maldormidos, inchados de tanto chorar. Na palma da mão, o cachorrinho, que ganhou de Venâncio, balançava alegre a cabeça. O pai entrou e sentou na cama dela. Estava sem jeito, não sabia como começar. Você está gostando muito desse moço, não é, minha filha? Dalva concordou com a cabeça, as lágrimas compareceram volumosas. A voz macia do pai, o jeito sincero dele querer saber dela deram coragem de desmoronar. Então traga ele pra dentro de casa. Eu prometo que ele vai ser bem tratado. Dalva fechou os olhos, tentava segurar o choro prestes a escapar escandaloso. O silêncio se apoderou dos dois. Depois de um tempo, buscou as mãos da filha, sem saber direito qual era o próximo passo. Você é meu sabiá, Dalva. Meu ouro. Diga a Venâncio que você tem um pai que te ama. O silêncio voltou leve, o perdão veio com ele. Seu Antônio beijou a filha, brincou com o cachorrinho em suas mãos e foi cuidar da vida.

Capítulo 18

Era preciso tampar os ouvidos para segurar a segunda voz. Evitar invadir a voz alheia exigia muita concentração. No fim da música, tinha sempre um pobre coitado sendo acusado de embaralhar tudo e outro se queixando de ter sido abandonado sozinho numa terça abaixo qualquer. Todos falavam ao mesmo tempo, riam, pediam bis. Seu Antônio sempre dava o tom no violão e organizava os ataques.

Vamos de novo, Dalva podia fazer a segunda agora. E assim, a cantoria entrava noite adentro. Venâncio nunca cantava, mas ouvia atento, não tirava os olhos de Dalva.

Participar daquela família foi uma mudança profunda na vida dele. Ficava impressionado com a liberdade de uns com os outros. Existia um calor entre eles. Depois da morte do pai, passou a levar a mãe junto, por insistência de dona Aurora. Dona Inês se encantou com a alegria, a amizade, as boas conversas que viveu ali. Agradeceu a Deus por Venâncio ter encontrado Dalva na vida.

O namoro seguiu adiante. Os dois davam certo no corpo e na alma. Faziam tudo juntos. Eram longos os beijos e longas as conversas. Venâncio se tornou um outro filho de Aurora e Antônio. Prestativo, dedicado, trabalhador. Passou a dominar com competência a marcenaria. Tomava a iniciativa de consertar toda madeira maltratada na casa do sogro. Visitava a venda, sempre que podia, atrás de alguma manutenção a ser feita, e arregaçava as mangas para ajudar no que fosse preciso. Conquistou todo mundo com seu jeito discreto. Mas, como nada neste mundo tem um lado só, a grande fraqueza de Venâncio mostrou sua força. Dalva preferia não ver, e dona Aurora, embora preferisse também, não conseguiu escapar. Viu. Venâncio sofria de ciúme.

Não era um ciúme comum, daqueles que provocam cenas inflamadas, caras emburradas, atitudes intempestivas ou retiradas dramáticas. Era um ciúme calado, profundo, triste. Nas noites em que a casa se enchia de amigos dos irmãos de Dalva, Venâncio ficava sem lugar, vigiava os olhares o tempo inteiro. Não tinha sossego. Procurava a certeza de que tinha razão. Era como se tentasse se preparar para o pior ganhando em troca o consolo de não ser pego de surpresa: eu sabia, eu disse que ia acontecer.

A graça de Dalva cantando, sua voz afinada, a maneira como ela emprestava sentido ao que as músicas diziam, seu jeito de corpo eram tão atraentes para ele que não podiam deixar de ser para todos os rapazes da sala. Na cabeça de Venâncio, quem olhasse para ela não escaparia de seus encantos. Era impossível não se apaixonar. Seriam todos tomados por um desejo incontrolável de conquistá-la. Se torturava inseguro, sufocado de contradições. Queria apagar a luz de Dalva na sala e acender no quarto, só para ele.

Muitos desses rapazes eram amigos de longa data da família, tinham crescido com Dalva e seus irmãos. Eram de casa. Dividiam uma intimidade antiga. Entrosados, brincavam uns com os outros; livres na zombaria, compartilhavam divertidas histórias de um passado comum. Entre eles existia alguma coisa que não estava ao alcance de quem chegou depois. Venâncio não via em Dalva nenhuma atitude de provocação, não percebia nela olhares, insinuações, algum tipo de sedução sutil.

O problema não era ela. Eram eles. Eles acabariam vendo o que Venâncio tinha visto, sentiriam o que ele sentia. Iam desejar Dalva, fantasiar com ela, lutar pelo seu amor. Mais cedo ou mais tarde se declarariam. Era nesse inferno que as certezas de Venâncio caminhavam. Não pensava em brigar com Dalva, pensava em se livrar dos rapazes. Ruminava. Arquitetava. E, quando as alternativas iam ficando violentas, ele mesmo afastava os pensamentos sem poder impedir que eles retornassem. Insistentes.

Aurora percebia de longe a agonia tomar conta de Venâncio. Via ele mergulhar nos olhares tentando decifrar os afetos, tenso na vigília. Algumas vezes pensou em tocar no assunto, mas confiou que, com o tempo, as coisas iam se ajeitar. Ninguém tem culpa de sentir o que sente. Venâncio é novo, esse fogo de querer controlar tudo passa. A gente acaba aprendendo que pode muito pouco. Depois o que importava mesmo é que o genro não descontava na filha a aflição que se apossava dele. Pelo contrário, deixava Dalva fora dos temores que desarrumavam ele por dentro. Ela nem dava notícias, ficava à vontade na presença dele. Não se inibia nem tomava conta demais. Quando via Venâncio longe, com o pensamento agarrado em alguma coisa, reconhecia o jeito dele de se afastar e não se desgastava. Chegava perto, manifestava carinho e voltava para a roda. Aos poucos ele também voltava ao normal e a vida seguia. Por isso, no dia em que Venâncio perdeu a medida, Dalva levou um susto de verdade. Teve raiva e vergonha misturadas, brigou feio.

Era meio da tarde. Céu de abril, azul firme, como todo ano, nunca chovia no aniversário de Dalva. À noite Aurora ia assar um empadão de frango caipira, esticado no tabuleiro. Foi um pedido especial da filha no primeiro aniversário ao lado de Venâncio. Uma homenagem, tamanho família, às empadas, já confirmadas como madrinhas de casamento, segundo a troça familiar. Bateram na porta e Dalva foi atender. Era Ildeu, um amigo da casa, de longa data, que também fazia aniversário no dia — nasceu dois anos exatos antes de Dalva. Era o melhor amigo de seu irmão mais velho, Túlio. Tinha o apelido de Bambu, por ser claro, alto e magro. Sua visita no dia do aniversário era sagrada, vinha dar e ganhar abraços, sempre mais cedo, porque o costume era passar a noite com a própria família. Aurora guardava infalível um presente esperando por ele. Aposto que é Bambu, abre lá, Dalva.

Dalva foi abrir o portão no exato momento em que Venâncio dobrou a esquina. Ildeu entrou no alpendre fazendo mistério com as mãos escondidas nas costas. Carregava um buquê de flores do campo coloridas e delicadas. Venâncio viu, parou para acompanhar de longe a cena. Adivinha o que tem aqui? Um presente pra mim? Não acredito, Bambuzinho! Dalva se alegrou, se colocou diante de Ildeu, a uma distância menor do que de costume e implorou charmosa: Mostra, vai! Ildeu trouxe as mãos para a frente revelando o buquê com seu laço de fita acetinado. Uma flor para uma flor, zombou com carinho! Dalva levou as mãos ao rosto e deu um gritinho de alegria. Sapateou de leve. Era a primeira vez que ganhava flores. Com os olhos fechados, respirou profundo, tentando sentir o perfume. Ildeu roubou uma flor e colocou atrás da orelha de Dalva, passou a mão por seus cabelos, se aproximou para um abraço apertado e sincero: Feliz aniversário, Dalvinha.

Para Venâncio, que via sem ouvir, a conversa era outra. Imaginou uma declaração de amor com riqueza de detalhes. Não teve dúvida do desejo que presenciava. Eu sabia que ia acontecer! Pensou no texto completo, ele dizendo que estava apaixonado, que esperaria por ela o tempo que fosse necessário. Eu sabia. Acompanhou a reação de Dalva paralisado. Viu quando ela se colocou diante daquele ossudo estúpido, olhos nos olhos, quase sentindo o hálito um do outro, viu quando ela levou as mãos ao rosto, sua dancinha sedutora, a intimidade da flor sendo colocada em seus cabelos. Nessa hora, começou a correr em direção aos dois, trombou em algumas pessoas, atravessou a rua sem olhar, chutou o portão para entrar e partiu para cima de Ildeu. Deu um soco na cara dele, com toda a força que pôde reunir. Com o rosto arrasado, Ildeu caiu no chão atordoado, fazendo um corte severo no braço, que estourou na quina da escada. Os gritos foram ouvidos de dentro de casa: Você não encosta a mão no que é meu, que eu não encosto a mão no que é seu, seu merda.

Dalva, tomada pelo susto, levou um tempo para entender o que estava acontecendo. Bambu sangrando, o rosto maltratado por uma dor insuportável, não encontrava o que dizer. O transtorno absurdo da agressão cancelava qualquer reação razoável. Aquele segundo de paralisia foi sendo rompido com a chegada das outras pessoas da casa. Aurora correu ao socorro de Bambu, estirado no chão, rosto e braço encharcados de sangue. O que aconteceu? Bambu, meu filho, o que foi isso? Dalva começou a chorar alto repetindo insistente: Venâncio, você tá louco? Você tá louco? Louco? Levaram Bambu para dentro enquanto Dalva, andando de um lado para o outro, recitava incrédula, chicoteando o ar: Lou-co, você ficou lou-co. Venâncio engoliu em seco, teve vontade de chorar, não sabia como começar a se defender, mostrar que tinha razão, não estava louco, tinha visto aquele merda se engraçando com Dalva. Sentiu o solavanco seco da voz dela cuspindo revoltada: Vai embora. Dalva, me escuta, eu vi... Vai em-bo-ra agora! A-go-ra. Ela virou as costas e entrou.

Uma sensação de redemoinho misturando água suja com água limpa foi esfriando a espinha de Venâncio. A certeza do que tinha visto começou a se diluir. O transparente virou barro. O amor não é incondicional coisa nenhuma, tem suas fragilidades de matéria orgânica. Estraga, esgarça, rasga, inflama, acaba. E como acaba. É feito gente, depende do que vive. O medo esmagou o coração de Venâncio, não sabia desfazer o que estava feito. Sentia vergonha de ser o que era, filho de seu pai. Experimentou o que odiava nele. Caminhou até o portão esperando que Dalva gritasse seu nome, mas o silêncio permaneceu imóvel. Lembrou o olhar de dona Aurora para ele, depois de ver Bambu sangrando no chão. Amargou a certeza de que tinha perdido o respeito dela. Ninguém ficou do seu lado, ninguém restou do lado de fora, a porta estava fechada. Foi para casa sem consolo. Repassava a cena de Bambu e Dalva, a proximidade dos dois, a intimidade explícita. As brasas ainda ardiam acesas, prontas para incendiar de novo. Não sabia o que sentir, ia da certeza à dúvida, da razão à culpa, do ódio ao amor sem intervalo. A dor de ser sozinho, sua velha conhecida, latejava como nunca. Eu sabia.

Dentro de casa, todos os cuidados eram com Bambu. Aurora limpou o sangue do rosto e do braço dele, se desculpando por tudo aquilo. Estavam todos falando alto, ao mesmo tempo, discutindo o que tinha acontecido, fazendo suposições, distribuindo sentenças. Dalva, mesmo tendo sido a primeira a se revoltar, não queria ouvir os irmãos condenando Venâncio daquele jeito. Era como se esse direito fosse só dela, como se, em meio a toda a raiva, sobrasse espaço para querer protegê-lo. Ela saiu de perto e se trancou no quarto. Aurora encerrou firme a conversa. Chega, vamos mudar de assunto. É um absurdo o que Venâncio fez, não vai escapar de um belo puxão de orelha, mas ele continua sendo o namorado de Dalva e uma pessoa da família. Retomou, então, o que teria sido um bom começo: abraçou Bambu pelo aniversário, se desculpou, deu presente como de costume e pôs um empadão no forno especialmente para ele. Aos poucos, o perfume do manjar foi resgatando a saúde de todos. Tudo ia se ajeitar, o tempo nunca falha em suas habilidades.

Naquela noite, o aniversário de Dalva estava condenado. Mesmo assim, a família se reuniu em volta da mesa. Os assuntos banais tentavam encobrir o mal-estar que pesava sobre todos. A comida boa, a sobremesa de festa, o parabéns cantado com o batuque nos copos, na mesa, no metálico dos talheres seguiram como de costume.

No meio da festa, bateram na porta. Segundos depois, Dalva recebia uma caixinha de madeira e um cartão. Reconheceu na hora as mãos habilidosas de Venâncio. Dentro, um anel de noivado. Estava sendo pedida em casamento. O esquecimento começava a jogar o seu manto.

100   Capítulo 19

Falam tanto sobre a vida de casado. De como ela acaba com o amor, de como se tornam distantes os que vivem ao alcance das mãos. Afirmam que é destino da intimidade abrir passagem para a indelicadeza, que a disponibilidade afasta o desejo e a convivência mina o afeto, como se essas fossem leis imutáveis. São fartos os exemplos dos que vivem juntos apenas se tolerando, dos que se destroem com o empenho com que se beijavam.

Que falem os mal-amados sobre suas profecias amargas, que sinalizem os abismos, as curvas, as areias movediças — nada como-verá. Não há quem convença um apaixonado com a dor alheia. Nem a própria dor pode salvá-lo. Cite todos os casos, reúna os parentes infelizes no amor, pregue nas paredes as páginas policiais escritas com sangue e paixão, nada demoverá os que foram fisgados.

Quando ouvia essa conversa de que, para acabar com o amor, basta casar, as piadas grosseiras sobre casamento, dona Aurora tomava a palavra indignada: Bo-ba-ja-da! Estão querendo uma saída só pro amor? Tolice, são infinitas. Porque foi assim com dez, não quer dizer que vá ser com onze. Não é assunto exato. Cada um que sabe. Cada um que vive. Eu e Antônio estamos casados há vinte e seis anos. Nem sempre é bom, nem sempre é ruim. Desconheço a balança que mede isso. É o que é, aceito, rejeito, mas não escolho mais tirar de mim esse amor entranhado, pertence a lugares em mim que não mando mais. Não fico tomando conta, podia ser assim, podia ser assado, medindo com régua o que falta. Não quero viver sem Antônio, me caso todos os dias com ele, acordo e caso, depois faço o café. Tem dia que ele tá chato de doer, largo pra lá, vai ser chato longe de mim e pronto. Ele melhora sozinho, depois piora e torna a melhorar, e a gente vai assim tomando distância e diminuindo distância. Caminhando.

Vejo por aqui tanto amor que devia deixar de existir, tanto amor que devia ter outro nome, gente presa pelo prego, no sofrimento. Nesta cidade tem homem que vai de manhã à missa com a família e, de noite, à zona. Pra mulher que tem em casa, tira a roupa pra lavar, e pras vagabundas, pra ter prazer, que maldade é essa? Isso ia me fazer sofrer, não ia tolerar viver à margem. Não aceito. Penso que não, mas nem isso é certeza, quem vive a coisa é que enfrenta o complicado pra valer. E mesmo vendo tudo isso à minha volta, eu sei, Dalva, que eu e seu pai escapamos, temos o nosso amor bonito. É tão bom o que nós fizemos juntos, você, seus irmãos, nossa casa, nossa família. Não é bom todo dia, mas é bom toda a vida. É assim, minha filha, não tem estrada aberta, a resposta é sua, o não e o sim e principalmente o que vem depois deles. Não se apresse, se deite no sol ali no alpendre. Demore. Namore. Repare no que gosta em Venâncio e no que não gosta. Você acabou de ver o ciúme dele mostrar os dentes e viu que é feio pra valer, é feroz e está vivo. Pode até cochilar, dormir um sono profundo, mas morrer mesmo só quando Venâncio morrer com ele. Não se iluda, o ciúme pode destruir qualquer amor. Dá muito trabalho não deixar ele devorar a alegria de ficar junto. Eu sei que isso é só uma parte de Venâncio, não é ele todo, e mesmo assim meu coração aperta quando penso, tenho cisma, não é de hoje. Mas é o seu coração que conta.

O que você fizer, minha filha, pra mim, sempre vai poder desfazer.

104   Capítulo 20

Dalva abriu o olho e ficou quietinha, a boca fez um sorriso delicado, tinha chegado o dia. Levantou da cama, com as irmãs ainda dormindo no quarto, saiu devagar sem fazer barulho. Encontrou destrancada a porta do quarto dos pais, entrou e se deitou na cama com eles. Quando era pequena e fazia isso, ganhava um abraço apertado da mãe antes de ser devolvida para a própria cama. Nesse dia, dona Aurora apertou a filha nos braços e cochichou no ouvido dela: amor. Quando o claro firmou, a casa começou seu dia de festa. Dalva e Venâncio iam se casar.

A coisa mais esperada nesse dia era ver Dalva em seu vestido de noiva. Um vestido que começou a ser feito seis meses antes. Não porque fosse difícil de fazer, com um feitio trabalhoso, ou um tecido pouco amigo das agulhas, muito menos por indecisão da noiva ou incompetência da costureira. Mas por ser todo bordado, da barra ao decote, por muitas mãos pouco experientes, embora cheias de afeto. Aurora quis que todos os irmãos e irmãs, o pai, os tios, as amigas mais amigas bordassem pelo menos uma pedrinha. Transformou esse momento em um verdadeiro ritual. Combinava com cada um o dia de bordar, lavava as mãos do convidado em água morna com pétalas de rosa e gotas de lavanda, punha uma bela música para tocar e ensinava paciente o que deveriam fazer. Como recompensa servia um lanche da preferência do bordador, feito com o condão das fadas.

Os homens com suas mãos pesadas e os corações desconfiados ofereciam certa resistência aos comandos de Aurora, se atrapalhavam mais. Espetavam os dedos grossos, embolavam as linhas, confrontavam a delicadeza necessária a cada movimento. Isso é coisa de mulher, repetiam sem originalidade, ameaçando desistir. Mas aos poucos tomavam gosto pelo desafio e, concentrados, mordendo a língua, franzindo a testa, prendiam delicadas pedrinhas brilhantes no tecido perolado. Aurora exigia capricho e, se fosse necessário, desmanchava o já bordado para ser refeito, sob protestos alegremente ignorados. O ritual de bordar foi-se tornando um momento divertido, inspirando histórias, fazendo do casamento de Dalva um acontecimento para toda a família. No tecido acetinado que serviria de forro, Aurora bordou o nome de cada um que deixou sua pedrinha presa ali, assim Dalva teria o corpo coberto por um vestido repleto de memórias e afetos. Nunca se esqueceria do quanto era amada.

O feitio do vestido só a noiva e a mãe sabiam. Virgínia, uma costureira de longa data da família, foi quem fez em segredo. Um corte simples e bem-feito deu ao bordado o papel principal. Estava pronto e impecável, para ser usado uma vez só, por poucas horas, e, ainda assim, ser inesquecível por toda a vida.

Quando a porta da igreja, enfeitada de flores brancas, se abriu e Dalva, conduzida pelo pai, entrou ao som da marcha nupcial, a emoção fez barulho, os convidados suspiraram em uníssono alvoroçado. Ela estava linda. O cabelo solto, à vontade, os cachos caídos sobre o colo nu, a boca vinho-seco, os olhos negros brilhando mais que as pedras que bordavam rosas de diferentes tamanhos em todo o branco do vestido. Seu sorriso iluminava cada palmo da igreja. O véu longo, como um rio em queda livre, flutuava imenso sobre o tapete vermelho. Todos os olhos estavam em Dalva, livres para explorar cada centímetro, respirando com seus movimentos, atentos a cada expressão de seu rosto sereno, como se a rotação da vida estivesse mais lenta e fosse possível ver a dança suave de todas as coisas.

Venâncio teve certeza de que ninguém escaparia, de que as flechas acertariam os corações ali presentes. Abandonou o pensamento com firmeza: Hoje, não! Hoje, todos vão saber que ela é minha pra sempre, não há o que temer. Se agarrou a essa ideia com força, ainda que no fundo, lá, no lugar onde a carne encontra o osso, ele sentisse o peso do ciúme.

Seu Antônio mal tinha pernas, mordia o lábio buscando algum apoio. Atravessou a igreja tomado por uma vontade intensa de chorar. Segurou o quanto pôde, não queria chorar na frente de todo mundo, mas, quando entregou a filha a Venâncio, os soluços vieram. Aurora socorreu o marido aliviada por ver suas lágrimas descerem. Beleza de choro, pensou com ela, que bom que escorreu, quem segura essas águas morre afogado, arrebentado por dentro. Enfartado. Aurora sabia que seu Antônio chorava pela decisão que tinha tomado na véspera, mas era assunto para depois. O dia era de festa, a separação que vinha pela frente não estava convidada. Ia ter que esperar. Não pense em nada ruim agora, Antônio, um dia de cada vez faz a vida mais leve. Aproveite sua filha. Aprecie a bênção que estamos vivendo.

Então tudo aconteceu como sonhado. O padre rezou com palavras bonitas, as alianças foram trocadas, o beijo arrancou palmas sinceras, a festa se estendeu noite adentro farta e alegre.

A lua foi de mel e inesquecível como o vestido de Dalva.

108   **Capítulo 21**

O que mais existe no mundo são pessoas que nunca vão se conhecer. Nasceram em um lugar distante, e o acaso não fará com que se cruzem. Um desperdício. Muitos desses encontros destinados a não acontecer poderiam ter sido arrebatadores. Por afinidade, por atração que não se explica, por força das circunstâncias, por químicas ocultas, quem pode saber? Quanto amor se perde nessa falta de sincronia. Não é preciso ir longe, alguém pode passar pela esquerda enquanto olhamos distraídos para a direita. Por um triz o paralelo nos obriga ao desencontro eterno. É preciso uma coincidência qualquer para que o amor se instale. Existe um certo milagre nos encontros. Não é tolo dizer que o amor é sagrado.

Antônio morava do outro lado do país, a mais de quatro mil quilômetros de Aurora. Nunca sentia vontade de sair da fazenda, especialmente nas férias. Ficava solto, descalço, descabelado, livre de qualquer compromisso, cheio de tempo para fazer só o que gostava. Eram dias intermináveis, horas seguindo o pai e aprendendo com ele a lidar com o trabalho, a sabedoria de plantar e colher, de fazer a terra engravidar, horas entregue à farra dos rios, das árvores, da caçada aos passarinhos num trabalhar-divertir misturado. Era o único filho homem de uma família com cinco filhas mulheres. Aprendeu a tocar violão com um peão da fazenda, e à noite gastava sua atenção pelejando com o instrumento; o pai torcia o nariz, mas a mãe adorava ouvir o filho cantar. Com o tempo, a vida de menino foi dando lugar aos desejos de rapaz. E ele caiu de amores não correspondidos por uma amiga ruiva da irmã. Rita, cabelo de fogo, incendiava Antônio por dentro. Mas esnobava. Quando ela aceitou o convite de se mudar de mala e cuia para a fazenda durante as férias de verão, ele arriou. Sofreu tanto por ser tão ignorado que aceitou viajar com a mãe para a casa da tia, lá do outro lado do país, uma viagem fadada ao tédio. Mas como Deus só faz o que quer, foi lá que Antônio conheceu Aurora. Conheceu desdenhando, mas por pouco tempo.

Aurora era vizinha de sua tia, não impressionou de cara, mas tinha uma curiosidade, uma boa vontade com a vida que não passavam despercebidas. Aonde ela chegava, a alegria chegava junto. Sempre propunha uma conversa divertida, uma brincadeira interessante, uma comida boa. Gostava de rir. Quando conheceu Antônio, não se inibiu. Conversou. Queria saber tudo da fazenda, do que ele gostava, do que não gostava. Queria saber das opiniões dele. Não era por educação, queria mesmo saber, o olho confessava o interesse. Parecia uma velha amiga perguntando coisas íntimas sem rodeio. Você tem medo de alguma coisa? Qual é a comida que você mais gosta? Já beijou alguém? Me ajuda a picar essa cebola? Você chora quando pica cebola? Era novidade demais para Antônio. Que moça maluca. Ele ficava impressionado. Nunca tinha visto alguém tão à vontade, achou muito boa aquela qualidade de conversa, nem via o tempo passar. Do lado dela gostou de ser ele. Viciou.

Aurora era mesmo diferente de todas as moças da cidade. Seu pai, um homem muito culto, estudioso, que viveu na França muitos anos, imerso em toda liberdade, igualdade e fraternidade que a história conseguiu enredar, criou a filha querendo que ela aprendesse a ter suas próprias opiniões. Afastou Aurora dos preconceitos que uma cidade que vive entre a igreja e a zona costuma ter. De um lado, um Deus alcoviteiro, capataz, com um caderno de notas na mão registrando cada deslize, especialmente o das mulheres; do outro, um Deus permissivo, vista grossa e cúmplice dos homens. A mãe entrou com a poesia, o jeito prendado, as rimas na ponta da língua, a amizade com as panelas e as agulhas. No meio desses fermentos, a convivência com as pessoas do lugar — acostumadas a culpar as putas pelos pecados dos homens, emboladas na superstição, no mau-olhado, no fogo eterno — bem que tentou deixar suas marcas: botar Aurora na fôrma da ignorância. Mas ela reconhecia esses atrasos sem arrogância e acabou escapando de boa parte deles. Mesmo não tendo estudado muito, tinha treino em refletir, herdou do pai a habilidade com as palavras. Aprendeu que a verdade não tem dono, que é duro demais existir e que ninguém precisa ajudar ninguém a sofrer. O sofrimento vem sozinho, tem pernas, mais cedo ou mais tarde ele aparece; o que a gente tem de buscar é a alegria, essa se esconde delicada na correria dos dias, não se oferece de pronto, quer ser encontrada, surpreendida, amada.

De todas as coisas que Aurora aprendeu com a sabedoria do pai e a suavidade da mãe, a que mais se tornou parte dela, como se fosse de nascença, foi não condenar ninguém. Tinha compaixão. Encontrava sempre um atenuante onde todo mundo só via culpa.

Quando veio visitar a tia, Antônio não sabia que estava pondo um milagre em andamento. Sair do inferno de Rita e cair na brisa suave de Aurora era Deus agindo de cabeça fria. Não queria mais voltar para a fazenda, queria se casar. Assustou com ele mesmo por ter uma certeza tão precipitada. Criou coragem de se declarar e experimentou os efeitos de ser correspondido. Eu caso, disse Aurora, sem dar voltas.

Antônio moveu céus e terras, enfrentou o desgosto do pai, a aflição da mãe, o "você que sabe" do sogro, as alfinetadas dos amigos, a inveja dos rivais, a indiferença de Rita, a saudade das irmãs. Enfrentou quatro mil quilômetros para cima e para baixo e, mais arduamente, o papel em branco disposto a longas cartas de amor para manter o coração de Aurora ocupado. Um duelo entre ele e as rasuras. Três anos depois se casou. Comprou o sítio com a ajuda do pai contrariado e, ainda assim, generoso. Abriu a venda e começou a ter filhos. Túlio, Dalva, Elis, Elza, Euclides, Mateus, Isadora.

Raramente visitava os pais e quase nunca recebia a visita deles, era longe demais. Agradecia a Deus todos os dias por ter encontrado Aurora, nunca olhou para trás pensando que podia ter sido diferente, mas no vácuo do peito, num lugar sem nome de tão indefinido, sentia uma saudade insistente da fazenda e da família. Sabia que um dia ia ter que voltar, tinha interrompido cedo demais a vida ali, estava incompleto. Reservou. E tocou para a frente até que recebeu uma carta da mãe: Volta, meu filho, está muito difícil sem você. Parecia que ele tinha saído de casa há dias e não há anos. Foi pouco antes do casamento de Dalva. A agonia começou. Os argumentos comoveram Antônio. A saudade que doía no pai também doía nele, só que no pai a proximidade da morte aumentava a dor. Atormentado, precisava de sossego para morrer. Antônio achou que devia isso a ele. O tempo estava acabando e sentiu que não podia mais adiar. Decidiu voltar. Aurora deu apoio, entendeu que era o certo a fazer.

Depois das festas de Dalva e Venâncio, a notícia caiu como uma bomba. Iam embora, todos. Os protestos foram volumosos.

Ninguém queria ir, espernearam, argumentaram, ameaçaram. Lágrimas escorreram, portas bateram, a revolta foi barulhenta. Antônio ficava abalado, entrava em dúvida, achava que estava pedindo demais, mas Aurora não vacilava. Nós vamos. Argumentou com os filhos: É importante demais pro pai de vocês, pra família dele. Nós vamos. Ninguém precisa ir gostando, de cara boa. Quem está com o coração apertado leva ele apertado mesmo, fazer o quê? Deixar ele pra trás? Vamos tristes, chateados, mas vamos. É a hora do pai de vocês acertar as coisas com o pai dele, ninguém fica. Túlio até tinha idade para debandar, mas não tinha recursos, propôs ir morar com Dalva e Venâncio, mas Aurora não permitiu. Eles estão começando a vida juntos, agora é pra ser só os dois, quem sabe mais pra frente. Estava decidido.

Quando Dalva voltou da lua de mel e ficou sabendo, as providências já estavam adiantadas. Foi como chegar e encontrar o defunto enterrado, sem ter vivido o velório. Viver longe do pai e dos irmãos parecia difícil, mas longe da mãe seria insuportável. Ela, agora, tinha a própria casa, mas era logo ali. Perto, junto. Não estava preparada para aquela distância toda. A fazenda era longe demais, seriam meses sem ver a família. E a música? Os aniversários? O colo? E todo mundo falando ao mesmo tempo? A roupa emprestada das irmãs? E as empadas? Não vai, mãe, eu não vou dar conta de ficar aqui sem você. Vai sim, vai dar conta sim. Aurora não mordia a isca. Minha filha, você agora tem sua casa, seu marido. Quando apertar a saudade, cria coragem e vai me visitar. Pense em como vai ser bom a gente se ver com muita saudade. Aurora não embarcava no drama, organizou tudo de bom humor mesmo estando cercada de emburrados. Mas, quando chegou a hora de ir, a coragem estava anêmica. Não despistou, chorou abraçada à filha, sabendo da saudade que enfrentaria, sentiu que não ia poder proteger Dalva de mais nada e isso, para uma mãe, é uma espécie de adoecimento.

114   Capítulo 22

Vem ser minha.

Dalva desligava o fogo. Tirava o ferro da tomada. Lavava o sabão das mãos. Largava a roupa sem estender. Deixava incompleto o esmalte nas unhas. Parava tudo. E ia.

Entrava inteira nos braços de Venâncio. A temperatura da pele dele, o cheiro, o jeito de acolher o corpo dela davam vontade de ficar ali para sempre. Ele se afastava e pedia que ela tirasse a roupa, queria ver seus movimentos, seu corpo sendo revelado, a timidez e o desejo no rosto dela. Dalva sempre começava soltando os cabelos como se precisasse se cobrir um pouco antes de ficar nua. Desabotoava a blusa buscando nos olhos dele a coragem de se mostrar, descobria os seios. Venâncio esquentava por dentro. Um brilho molhava seu olhar apaixonado. Com as mãos ele trazia Dalva para perto, com o rosto tocava seu seio, roçando a boca, a face, a testa, os olhos fechados no relevo macio sentindo a pele de pêssego se arrepiar. Seria capaz de passar a vida ali. Mal acreditava que pudesse tudo, naquele seio que já era mais dele do que dela, a paisagem mais linda do mundo, onde ele sempre queria se demorar. Buscava com a boca o bico teso, e uma vertigem de prazer tomava conta dele. Eram poderes de abismo, se lançava em queda livre, tirava o resto da roupa de Dalva, as mãos no sexo adiposo, aveludado pelo muco fino e transparente, convidando a boca a sugar sua mucosa de caqui. Penetrava em Dalva como se saltasse para a morte, disposto a perder os sentidos. Navegava, lento ritmado, as ondas subindo e descendo, ela pulsando com ele, tudo sendo dito ali, no silêncio das palavras, até a explosão final tragar cada um na paz violenta de ser só corpo. Eles então caíam exaustos um sobre o outro, só as mãos encontrando forças para carícias leves e lentas. Adormeciam ou, com muito custo, arranjavam coragem para voltar ao mundo. Muitas vezes se entregavam a uma conversa sobre o que tinham vivido antes de se conhecerem, confessavam uma dor passada, um desejo secreto, uma alegria inesquecível, ou apenas falavam banalidades, assuntos de trabalho e providências a serem tomadas.

Os primeiros anos de casados foram tudo o que se espera do amor. Depois que a família de Dalva foi embora, dona Inês também voltou a viver na casa da irmã. Os dois ficaram sozinhos na cidade, não se desgrudavam. Um foi sendo tudo para o outro, primeiro por força das circunstâncias, depois foram tomando tanto gosto em ficar juntos que se fecharam numa redoma, deixando amigos, família, toda espécie de convivência do lado de fora. Venâncio assumiu a venda de seu Antônio e manteve a marcenaria, com a ajuda de Amim. Não tinha mais tempo de se dedicar a trabalhar diretamente com a madeira, mas acompanhava tudo de perto. Dalva cuidava da casa e ajudava no que podia na venda. Raramente ia visitar a família, e eles também quase nunca apareciam. Com o tempo até a saudade da mãe foi encontrando alívio, sendo amenizada pelos carinhos do marido.

Venâncio surpreendia. Numa das vindas de Aurora, aprendeu em segredo a fazer sua famosa empada. Logo depois que ela foi embora, e que a ressaca ameaçou invadir o paraíso, Venâncio pôs em prática as aulas com a sogra. Pediu a Dalva que fosse para a venda e passou uma manhã inteira preparando a iguaria. Uma ousadia de alto risco, que acabou dando certo. Quando Dalva voltou para casa, encontrou em cima da cômoda, sobre um paninho de linho gracioso, uma empada dourada. Fechou os olhos para sentir cada pedaço na boca e, em cada um, era o amor de Venâncio que entrava, poderoso, dentro dela.

Ter Dalva só para ele dava vontade de ser o melhor homem do mundo. A tristeza que carregava pela vida afora não assombrava mais, tinha vontade de acordar todos os dias só para viver com Dalva. Quem via testemunhava: nasceram um para o outro, é um amor de muitas vidas, abençoado. Um dia, ela chegou em casa eufórica, preparou um jantar especial, flores e velas na mesa, pôs uma roupa nova, passou seu batom vinho para se sentir tão bonita quanto estava feliz. E então, quando os dois jantavam, como sempre faziam, perdidos em boa conversa e olhares demorados, ela transbordou: Estou grávida, amor.

Capítulo 23

No dia em que Lucy deixou a casa da tia, foi embora no mormaço do ódio, na ilusão das contas acertadas. Saiu da cidade levando com ela as melhores recomendações. Quando chegou à Casa de Manu, sua fama já estava instalada. Poderia ter uma casa só para ela, com todo o conforto que uma puta com suas qualidades merecia, recursos não faltariam, mas preferiu viver na zona, lá teria, além dos homens que quisesse, a plateia que queria. Não ia ter graça nenhuma reinar no deserto sem ninguém para testemunhar seus calores e tempestades. Precisava das outras putas para se ver melhor, apreciar a inveja que a diferença entre elas ia esfregar no nariz de cada uma. Não era uma putinha qualquer, não dava para qualquer um. Escolhia. Isso fazia o pau de muito homem ficar inseguro, necessitado de receber seus favores para resgatar a dura alegria de ser pau. Lucy sempre se divertia com um pouco de sofrimento alheio. Chegou à Casa de Manu com o privilégio garantido. Um quarto grande com banheiro, só dela, e o poder de fazer o que bem entendesse. Em troca, a casa cheia, a fila dobrando a esquina e uma parte de tudo o que ganhasse. Tão irrecusável quanto sua boceta quente.

Manu, a dona do puteiro, recebeu Lucy de pernas abertas. Dando o que ela queria. Se impressionou com sua beleza e juventude, com a força apimentada de sua vontade. Seus olhos afiados, penetrando indecentes em tudo o que olhava, exalavam um poder de mover céus e terra. Essa sempre vai ter o que quer! Mesmo sendo, até então, a toda poderosa da casa, Manu passou a fazer as vontades de Lucy como se dependesse das sacanagens dela. Não dependia. Pelo contrário, podia fechar as portas que a vida já estava ganha. Dizem as boas línguas que Manu era a puta mais caridosa da paróquia e ficou rica por gratidão de Deus. Pagava o dízimo, não para a igreja, mas para a pobreza. Gostava de ajudar quem precisava. Era justa com as meninas e nunca aceitou explorar quem quer que fosse. O retorno vinha volumoso. Ser dona de zona foi um acidente muito antes de ser um bom negócio. Abraçou o que a vida botou no caminho dela. Nunca disputou com Lucy, não era míope, sabia que a juventude ganha todas. Na zona, o corpo é a alma do negócio. Reconheceu que Lucy era uma galinha de ouro. Tratou de facilitar seus ovos.

O prestígio da nova puta ganhou quilômetros. Fez a fila crescer. A fila retribuiu, por sua vez, espalhando generosa a reputação de Lucy. Não era uma fila por ordem de chegada, muito menos uma linha reta de homens dispostos a pagar adiantado pela mercadoria. Ali não valia pagou, levou. Os homens chegavam, dezenas deles, à sala da casa e esperavam Lucy aparecer e decidir quem ia ser feliz naquela noite e quanto ia custar. Nada de reservas, leilões ou revelações ameaçadoras de fortunas e poder. Ali, prefeito ou faxineiro tinham o mesmo prestígio: nenhum. Valia era a vontade de Lucy, mais nada. Ela surpreendia e adorava o espetáculo. O que acontecia na sala, muitas vezes, abrasava tanto quanto o que acontecia no quarto. Alguns mais apressados jorravam ali mesmo um prazer incontinente e, se não dominassem o gemido, acabavam tendo que pagar a conta do aperitivo, sob pena de serem barrados no esquenta.

Lucy era imprevisível, escolhia alguém e passava minutos com ele lá dentro. Dependendo do dia, passava horas. Às vezes, mandava três entrarem ao mesmo tempo incendiando a imaginação da sala lotada. Punha dois para assistir, punha dois para trabalhar, dava um pouco para cada um e assim ia variando o cardápio. Quem se recusasse a entrar no jogo não era escalado mais. Os poucos que se atreviam a engrossar a voz e bater o pau na mesa exigindo direitos e prioridades se arrependiam; mais cedo ou mais tarde, imploravam para retornar, mas Lucy não se comovia. Sua putaria fez o movimento das outras triplicar, os não escolhidos desaguavam lá, e mesmo as putas mais decadentes viram o próprio buraco prosperar. As esposas também. Os homens sumidos há anos voltaram como andorinhas no verão.

Foi em uma dessas noites que Lucy notou Venâncio. De tempos em tempos ele aparecia na Casa de Manu. Depois do dia em que perdeu Dalva para sempre, ficou anos sem se deitar com mulher nenhuma. O remorso arruinou com ele, sem perdão, não tinha reparação possível. Começou a se descuidar, a deixar o corpo padecer, talvez procurasse antecipar a morte maltratando a vida. Se tornou um homem calado, bruto, que afastava de maneira grosseira quem se aproximasse. Fechou a venda e continuou apenas com a marcenaria, onde ferir com o serrote, espancar os pregos, torturar a madeira aliviava o desejo de fazer o mesmo com a própria carne. Foi ela, a carne, que começou a gritar, ignorando qualquer coisa que não fosse equilibrar suas águas. A Casa de Manu se tornou o único lugar onde se dava o direito a um orgasmo de esquecimento.

Ia, com a culpa de quem conhecia o amor no corpo, com a culpa dos criminosos que temem a Deus, sentindo que a cada visita matava o filho e espancava Dalva mais uma vez. Mas ia.

Sempre passava pela sala ignorando tudo e todos, escolhia uma puta qualquer, a primeira que encontrasse no caminho, e ia para o quarto com ela. Era feito mijar, de tão rápido. Mas naquela noite não deu de cara com nenhuma delas, entretidas que estavam com o espetáculo de Lucy. Ficou parado lá, na dita fila, mais por apatia do que por vontade.

Lucy estava inspirada, era uma puta no cio. Começou passeando lentamente pela sala passando a mão no pau de todo mundo, como se dedilhasse uma arara de roupas sem encontrar nenhuma que quisesse vestir. Para alguns exibia o peito afastando a renda e exigia, chupa um pouquinho, isso, assim, mais forte. Chega. Soltava o roupão do corpo e convidava um deles a espiar pela fresta seu sexo nu. Você quer?, perguntava traiçoeira. E assim ia provocando, fazendo um por um se ajoelhar. Quem quer pôr o dedo aqui?, oferecia a bunda empinada. Silêncio, ninguém ousava. Então parou em frente a um homem que nunca tinha visto ali. Roçou a língua em seu braço longo até chegar à ponta dos dedos, chupou um por um, depois levou a mão dele para o meio de suas pernas e foi girando o quadril fazendo com que os dedos entrassem e saíssem dela.

Venâncio permaneceu distante, sem se afastar do oco em que vivia. Ignorou o primeiro ato. Mas, de repente, sua expressão se alterou de maneira violenta, o rosto foi invadido por um vermelho-sangue, seu corpo retesou para o ataque. Era ele. Reconheceu aquele monte de ossos envelhecidos, aquela mão que enfiava os dedos em Lucy era de Bambu. Reviveu o passado. Sofreu ao pensar que, para ele, Dalva ainda teria um olhar, uma palavra gentil, um abraço de saudade, conversaria sobre coisas sem importância, daria notícias da família, talvez segurasse nas mãos dele com vontade de confessar toda sua dor, enquanto que, para ele, Venâncio, restava só o desamor, nenhum olhar, nenhuma palavra, nenhuma esperança. Estava condenado ao inferno de não ter perdão. Odiou Bambu mais uma vez. Lembrou a promessa feita aos berros: Você não encosta a mão no que é meu, que eu não encosto a mão no que é seu, seu merda. Foi atraído pelas mãos dele, reparou que entravam e saíam de Lucy, viu o prazer espalhado nos dois e teve nojo. Magrelo asqueroso. Vagabunda. Renovou a promessa.

Mas, como cada um só enxerga o que vê da própria janela, foi a conta de olhar para Venâncio para Lucy achar que aquele transtorno todo era por causa dela. Onde ele sentia nojo, mágoa, dor e um ódio antigo, ela assistiu a desejo e cobiça. Se empenhou na exibição. Vigiou a evolução do sentir dele, a respiração alterando, o corpo lutando para não se aproximar. Confiante no que provocava, desempenhou, como nenhuma mulher do mundo, aquela cena. Estava torturando o pobre coitado do jeito que gostava. Por isso, perdeu o ritmo irritada quando viu Venâncio desistir de acompanhar sua lambança catando Madalena pelo braço e se enfiando no quarto com ela. Recuperou rápido o controle, mas guardou a desfeita.

Nos dias que vieram, passou a notar quando ele não vinha. Reparava quando ele chegava à sala lotada e logo se retirava com qualquer uma. Que diabo de homem era aquele? Cozinhou. Decidiu acabar com a cisma. Numa noite em que Venâncio chegou como sempre, absorvido pela solidão, Lucy parou diante dele. A melhor maneira de espantar um fantasma é acender a luz, olhar no olho, enfrentar. Vou dar logo pra esse homem que é pra não enxergar ele mais. Sem esperar nada que não fosse um sim, ordenou segura: Hoje a noite é sua. Se apossou dele roçando a língua em seu pescoço, crente que estava liquidado. Sem dizer nada, Venâncio se afastou objetivo, seguiu em frente, catou outra puta e foi se esvaziar. Agora era afronta, bofetão.

A sala cheia viu. As putas feias viram. Os homens que aceitam migalhas, os que gastam fortunas viram. O silêncio gritou a ofensa. Lucy engoliu ácido, fingiu ignorar, se escondeu no excesso de vulgaridade, trepou violentamente com muitos homens naquela noite, ali mesmo, na sala. Mas o desaforo atravessou sua garganta, rasgou fundo. Desde que decidiu ser puta, homem nenhum disse não, nem os patifes, os religiosos, os ateus, os analfabetos, os bem--sucedidos, os ricos, os bonitos, os casados, os que tinham muito a perder, os que não davam no couro — todos eram levados pela enxurrada que desaguava nela. Começava ali uma queda de braço com ela mesma.

A mulherada da casa sentiu um gostinho de vingança. Lá no fundo, cada uma já tinha vivido sua cota de humilhação com o jeito escancarado de Lucy ocupar o centro do mundo. Não virava verbo, mas era nítido o contentamento com o tombo dela. Serem, na vista de todos, escolhidas em vez da todo-poderosa, era ver a justiça sendo feita. Chega de restos. Bem feito, a metida deu de cara no arame farpado. Comemoravam.

As conversas chiadas passaram a ser o som dos dias. Risadinhas pelos cantos, pequenas pragas, flagrantes falsamente despistados para esconder que o assunto era Venâncio-não-trepa-com-Lucy.

Lucy obstinou, levou a sério levar aquele homem para a cama, sugar o pau dele por todos os buracos. Começou a perseguição, a insistência, a invasão dos quartos onde ele trepava com as outras, mil posições, mil jeitos de tirar a roupa, indecências cruas e nuas e, depois de cada uma delas, a recusa. O não de Venâncio, curto, grosso, sem rodeios, alimentava a insistência.

A sala não esvaziou, a homaiada besta continuava na fila, esperando Lucy desadoecer, testemunhando as recusas de Venâncio. Atingidos, muitos deles iam à igreja com as esposas e rezavam pedindo a Deus para dar um jeito naquela estupidez, rogando que iluminasse o idiota que se recusava a ser feliz. Não se conformavam com aquele cu-doce todo, suplicavam o fim de tanta abstinência.

Mas o não prosseguiu firme, e a humilhação de implorar pelo sim se transformou em ódio, ódio de Dalva, a vaca empacada no caminho de Lucy.

Capítulo 24

Mal o dia amanheceu, e Lucy já estava no alpendre, mais bonita do que de costume, disposta a incomodar profundo. Esperou. Aos poucos as outras putas foram chegando e se esticando no ladrilho frio querendo uma trégua com o calor dos dias. As mais distraídas estranharam Lucy ali, se misturando com a humanidade tão cedo. As que acompanhavam curiosas a tempestade que estava se formando desconfiaram do motivo de tanta insônia.

Dalva despontou lá na esquina com seu passo lento, a cabeça erguida na companhia de sua solidão triste. Vinha pela sombra distante do mundo. Lucy envenenada empertigou, levantou o queixo, encheu o pulmão de ar e começou a falar alto. Olha quem vem lá: dona Dalva. Oh! dona Dalva, conta pra gente o que que dói tanto? O que que a senhora anda negando pro seu marido que ele não sai daqui, vem todo dia ser bem tratado, hem? Divide sua cruz comigo, vaca. Você bem que gosta de espalhar seu sofrimento! Quer que todo mundo veja: olha como eu sofro, coitadinha de mim.

Molha a sua calcinha ser vítima, não molha? E, esfregando o sexo, gemeu fingindo um orgasmo: ai, ai, ai que dor, que dor!

Dalva, ao ouvir seu nome, reagiu inocente e, no reflexo do movimento, olhou para Lucy. Viu, antes de mais nada, a beleza dela e, maior ainda, o canivete nos olhos, a vontade de ferir soltando faíscas. Quando entendeu que aquele fel grosso era para ela, desviou o olhar, ignorou de cabeça erguida e seguiu seu rumo. Do lado de fora era o que se podia ver.

A conversa no alpendre rompeu barulhenta, Lucy tinha feito troça do sofrimento de Dalva, que contava há anos com o silêncio respeitoso das putas. Todos os dias, quando ela passava, elas abaixavam a voz como os homens tiram o chapéu diante do sagrado. Que ruindade era aquela de pisar em ferida aberta? Vociferavam. Mas, se a bondade condenava sincera de um lado, a maldade acolhia o espetáculo. O leão engolir um homem, a corda apertar os pescoços, o açoite rasgar as carnes, a crueldade dos crimes nos jornais sempre atraiu multidões. O pior de nós tem seus encantos. Somos feitos do bom e do ruim em porções imprevisíveis. O circo ia pegar fogo todas as manhãs. Lucy ia enfiar os dentes em Dalva na frente de todo mundo, e a vida naquele alpendre ganharia uma graça atraente, um motivo para viciar. Assim foi.

Lá vem a sofredora, faz questão de sofrer todo dia, não é boba de largar pra lá, que o sofrimento tem poder! Quer ser coroada a rainha da dor com coroa de espinho e tudo. Vem cá, dona Dalva, deixa eu te mostrar como é bom gozar. Te faço essa caridade, te dou a esmola de chupar os seus gominhos. Lucy arrancava a própria roupa e se mostrava no alpendre, falando aos berros: Olha que beleza, seu marido vai enfiar o pau dentro de mim hoje e nunca mais vai querer saber da sua boceta murcha. A plateia crescia dia a dia, ninguém queria perder nem uma palavra, era o espetáculo da paixão desmedida. Dalva passava como se não fosse com ela, mais imperturbável ela caminhava, mais Lucy enlouquecia. Olha, a vaca finge de morta, finge que não vê. Duvido. Tá queimando por dentro. Aposto. Queimando não, que mulher gelada não queima, resseca. Vai esfarinhar.

Quando a noite chegava, Venâncio botava Lucy para fora e, na manhã seguinte, ela revidava em Dalva na proporção da porrada.

Puta-despeitada-no-surto.

A corda foi esticando de um jeito que só podia arrebentar. Venâncio andou sumido da zona, e Lucy, com tempo demais para maquinar o que queria, foi juntando explosivo. Quando ele deu as caras, ela invadiu o quarto, botou Madalena para fora e trancou a porta escondendo a chave. Partiu para cima do homem disposta a ter o que queria. Abordou mil e uma vezes, variou de caras, bocas, humor e nada. Venâncio pediu para sair e ela tirou a roupa. Ele insistiu, ela se bolinou. Então ele levantou violento e arrebentou a porta. Manu não gostou do que viu, achou que Lucy estava passando dos limites. Demonstrou o desgosto na cara, mas não falou nada com todas as letras. O movimento começava a desandar, ninguém aguentava mais tanta reprise.

O cansaço não prostrou Lucy, a humilhação de todas as noites não diminuiu o furacão nela. Ao contrário, deu ganas de arrancar as pedras no caminho com as unhas, com os dentes, nada a perder. Queria se despedaçar. Lembrou de Duca, reconheceu o ódio que sentia vivo de novo. O corpo pedia intensidade de prazer ou dor. Alguma coisa ela arranjaria. Esperou Dalva com a boca amarga. Ela apareceu inabalável. Que mulher era aquela que não mudava de rua? Queria o duelo, provocava, a vaca. Lucy saiu do alpendre e parou na frente de Dalva, segurou delicada nas mãos dela e levou seus dedos magros e sofridos à boca como se fosse tratá-los bem. Mordeu. Mordeu para arrancar. Dalva gritou de dor, as pernas bambearam. O alpendre protestou estrondoso. Manu, que se recusava a acompanhar as provocações constantes, saiu de dentro de casa assustada pelos gritos, abriu caminho no alpendre até as duas e transtornada mandou: Chega, sua puta-louca. Com a boca suja de sangue, Lucy olhou aguda para Manu.

Não se mete, o assunto é meu, não é da sua conta. Dalva estava ajoelhada, as lágrimas descendo grossas, o choro derramando anos de dor. Manu levantou ela do chão e encarou Lucy no tamanho dela. Ou você entra agora, ou não entra nunca mais. Lucy, desafiadora, passou a língua no sangue que escorria de sua boca como se aproveitasse até o fim um néctar divino. Virou as costas e desapareceu casa adentro.

Capítulo 25

Dalva poderia ter ido embora, ido viver com a família. Lá a música faria ela renascer aos poucos. Lá viveria de novo com Túlio, Elis, Elza, Euclides, Mateus e Isadora, e o amor seria a parte mais banal dos dias. Poderia ter denunciado a violência de Venâncio, feito ele ir pagar na cadeia, espalhado sua crueldade em toda a cidade, confessado ao padre o imperdoável, recebendo absolvição para odiar. Poderia ter contado tudo para Aurora e ter dela as palavras certas, o colo amoroso. Poderia ter encontrado um novo amor, ter tido outro filho e com ele nos braços passar em frente aos Alves desfilando sua volta por cima. Poderia ter mudado de rua e nunca mais ter caminhado no passeio das putas. Poderia não ter cicatrizes nos dedos. Poderia ter se vingado. Ter perdoado. Dalva poderia tantas coisas se pudesse. Mas só pôde o que fez. Quem vê de fora faz arranjos melhores, mas é dentro, bem no lugar que a gente não vê, que o não dar conta ocupa tudo. Dalva ficou, mastigou aquela dor e se alimentou dela. Não podia deixar de lembrar a Venâncio, todos os dias, todas as noites, todas as estações do ano, que ele havia morrido para ela quando matou o amor deles. Nenhuma palavra, nenhum olhar, nenhuma migalha. Era no desespero dele de não ter mais nada dela que Dalva encontrava forças para sofrer. E sofrer era a única vida possível diante do que tinha perdido. Lucy tinha razão, a dor vicia enquanto mantém a gente vivo. Mas não era só a dor que prendia Dalva ali, o amor também lançou suas âncoras. Veremos, veremos.

Se a mãe estivesse com ela no dia em que o filho nasceu, nada teria acontecido. Ninguém nunca ouviu uma palavra que fosse sobre o assunto da boca de Dalva, ela calou profundo. E foi nesse silêncio sem paz, áspero, que alguns pensamentos estridentes agarraram, arranhando, batendo panela insistentes. Se a mãe estivesse com ela no dia em que o filho nasceu, nada teria acontecido. Dalva podia entender os motivos de Aurora, não havia o que perdoar, mas mesmo assim doía.

Na véspera do parto, Elis, a irmã mais nova, foi picada por um escorpião na fazenda. Correu risco de vida, desorientou toda a família no corre-corre de acudir. Com isso Aurora adiou sua vinda para a casa de Dalva. Sabia do apuro das duas filhas, mas não teve dúvidas do que devia fazer. Elis estava enfrentando a morte, Dalva, a vida. Sofreu resignada. Queria esperar o neto, segurar na mão da filha na hora do parto, viver com ela aqueles primeiros dias, quando tudo muda para sempre. Todas as medidas são refeitas, o pouco e o muito aumentam de tamanho. As intensidades que nascem com um filho são desconhecidas: amor, medo, angústia, cansaço, ternura, alegria, dor, tudo é fermentado e cresce na medida de cada história.

Mas nem nessas horas mais sagradas o imprevisível se inibe. O triz nos espreita. Uma folha que cai da árvore desagarra uma lembrança, desequilibra, faz a gente pisar torto no passo seguinte, dois dedos para o lado se escapava do escorpião. Um centímetro desarruma tudo, desencadeia suas consequências, estamos presos com o fio invisível da aranha. Ao picar Elis, o escorpião mudou a vida de Dalva.

Quando Aurora deixou a fazenda, a viagem que alguns dias antes era promessa de felicidade se tornou um calvário. Não ia conhecer o neto, estava perdido. Ia visitar a dor da filha. Foram quilômetros tentando não desmoronar, lutando para chegar inteira, capaz de segurar Dalva nos braços e suportar com ela o peso de perder um filho.

Lembrou dos filhotinhos que ela, desde muito pequena, levava para casa. Da coragem que tinha de enfrentar o pai e salvar os bichinhos. Das madrugadas frias em que arrastava a filha do quintal com muito custo, depois de arranjar leite morno, cobertas e caixas para os seus protegidos. Muitas vezes encontrou pistas bem fedorentas de que as visitas passaram a noite no quarto, desrespeitando a lei suprema de nunca entrarem em casa. Uma desobediência bondosa, que Aurora achava por bem relevar. Agora não havia o que arranjar. Estava impotente. Pensou que podia imaginar a dor da filha, mas, o que viu, quando chegou, só a realidade sabe imaginar.

Foi Venâncio quem abriu a porta, abraçou Aurora e chorou como uma criança. Não disse nada, apenas ganhou a rua tentando caber no mundo.

Aurora entrou no quarto. Mal reconheceu Dalva. O corpo estava lá, sozinho, vazio de tudo que ela tinha sido. Sem esperança. Ossos, olheiras, palidez no escuro da janela fechada, tudo impregnado de abandono. Não tentou nenhuma palavra. Se deitou na cama com a filha, os corpos encaixados, os braços envolvendo Dalva num agasalho de mãe. Horas eternas. A pele quente das mãos entrelaçadas, soprando um pouco de alívio na carne viva.

Muitos dias Aurora ficou lá. Abriu aos poucos janelas e cortinas, pôs flores nos vasos. Fez comidas carinhosas, deu de colher na boca. Viu que Venâncio e Dalva não se olhavam mais. Não se tocavam. Alguma coisa muito triste tinha acontecido ali. Não perguntou. Desconfiou que o ciúme tinha parte naquilo. Convidou a filha para passar uns tempos na fazenda, deu notícias de cada irmão, entregou bilhetes, presentes feitos à mão. Argumentou que seria bom mudar de ares, ficar forte, superar tudo aquilo. Mas Dalva não quis. Aurora resistiu a ir embora sozinha, essa foi sua única insistência, adiou o quanto pôde sua volta para casa, em vão.

Tentou compreender as coisas com os amigos antigos. Fez perguntas discretas. Mas ninguém sabia de nada. Antes de tudo acontecer, viam Venâncio e Dalva juntos pela cidade, muito apaixonados, alegres, só os dois sempre. Não rendiam muito intimidade, não frequentavam a casa de ninguém. Se bastavam. Viram a barriga crescer, ficar grande, uma beleza de grávida. Estavam felizes. A parteira veio, o trabalho foi normal, sem transtorno nenhum. Nasceu um menino gorducho, rosado e cabeludo. Chorou alto, tinha os pulmões bons. O que veio depois ninguém tomou parte. Foi Amim, da marcenaria, quem deu a notícia para um e outro contando que eles tinham perdido o menino. Uma tristeza, os dois não quiseram dividir nada, ninguém ficou sabendo do enterro, não viram movimentação nenhuma, mas testemunharam dia após dia o transtorno de Venâncio. Dalva não viram mais, ela se trancou em casa e quem tentou levar um pouco de conforto não teve a porta aberta. Uma tragédia de cortar o coração.

Já na hora de ir embora, aflita de deixar tudo naquela fragilidade, Aurora abraçou a filha insistindo: Não quer mesmo vir comigo? Dalva balançou a cabeça, ficaria. Não me demoro lá então, volto assim que puder, fica com Deus, que Deus te dê forças, minha filha. Foi só nessa hora, ao longo de todos esses dias, que Aurora ouviu a voz de Dalva romper sem controle o silêncio: Deus, mãe? Deus não me dá nada, só tira.

Aquilo bateu em Aurora como um murro. Ouvir a filha soar daquela maneira, depois de tanto silêncio, doeu nela. Desistir de Deus é muita solidão. Queria encontrar palavras milagrosas, resgatar a amizade entre os dois, mas diante do desespero de perder um filho as palavras são letras juntas, não podem carregar um sentido que a própria vida não consegue esclarecer. Essa seria uma longa conversa. Tinha chegado a hora de ir embora, não podia se demorar mais na casa de Dalva. Mas, o que queria dizer para a filha, Aurora foi tramando em silêncio durante toda a viagem de volta.

Dalva, minha filha, é difícil imaginar que tudo isso que você está passando seja da vontade de Deus. O problema não é Deus, é o que inventamos Dele. As pessoas têm certeza demais sobre as vontades de Deus, acho até que algumas criaram Deus em vez de terem sido criadas por Ele. Deus não é de pensar, é de sentir. É um colo de braços fortes e delicados, ninando a gente num mar furioso, esquenta seu coração nesse colo, respira com Ele. Deus não é um lugar de certeza, é só um pouco de esperança.

Eu, que sou sua mãe, fico querendo para você o que faz bem para mim. Eu sinto Deus todos os dias na minha vida. Preciso Dele, as preces correm no meu sangue sem esforço. Tenho alegria de sentir Deus nos outros, vejo as mãos Dele acariciar tantos lugares, desembrutecer tantas coisas. Vejo mesmo. E sei que isso não muda o mar furioso lá fora. É tão difícil existir sabendo tudo que a gente sabe sobre existir e, ao mesmo tempo, sem saber nada sobre o que vamos passar daqui a pouco, sem poder proteger de verdade quem a gente ama mais de verdade ainda. É invenção nossa pensar que Deus pode tudo, minha filha. Peça a Deus para voar, nem Ele pode fazer isso, ia ter que fazer você ganhar asas, virar passarinho e aí não seria mais você. Nem seria Deus, seria a fada-madrinha, que faz ratinhos virarem cavalos e abóboras, carruagens. Isso é alterar a natureza das coisas, fazer outra fôrma, e, sendo Ele Deus, não pode corrigir nada que Ele mesmo fez. Já pensou a gente ficar mandando Deus fazer de novo até ficar bem-feito? Igual eu tenho que fazer com Benedita aqui na fazenda, não tem cabimento.

É difícil pro homem, que manda e desmanda aqui na terra, entender que Deus não existe para fazer nossas vontades, nem para vigiar cada gesto nosso, ficar contando pecados, exigindo coisas que não podemos dar. A contabilidade de Deus é outra. Eu não preocupo com o que Ele quer de mim. Vê se vou preocupar com isso! Quando Ele quer alguma coisa, tem, sabe se virar como ninguém. Eu gasto mais em pensar o que eu quero de Deus.

Pedir a Deus para não sofrer é como pedir para voar. Mas a gente pede assim mesmo e depois fica com raiva do pobre coitado.

O sofrimento é certo como a morte e tão inegociável quanto. Vem às vezes de um jeito bruto demais, tem gente que passa por coisas insuportáveis uma atrás da outra, o sofrimento muitas vezes vem injusto na falta de justiça do homem, na falta das coisas, na falta de entendimento e vem intolerável na violência de perder um filho. Essa é a pior cara Dele. E mesmo te amando muito, Dalva, não posso saber o tamanho da sua dor, nunca olhei no olho do sofrimento pra valer. Morro um pouco com isso de não poder saber de verdade do seu sofrimento. Rezo por você. Rezo por mim. O que peço a Deus com fervor é para dar conta. Pede também, filha. Pede para dar conta. A gente passa a vida pelejando com o dilema de existir ou desistir, com o que é bom e o que é ruim, o certo e o errado, a morte e a vida. Essas coisas não se separam. O lugar que dói é o mesmo que sente arrepios. É no corpo, no amor e na liberdade de escolher as coisas que a gente fica inteiro ou despedaçado. Então, pede para a parte boa dar conta da parte ruim.

Eu disse que Deus é de sentir e não paro de falar. Sei que estou inventando um pouco também, tentando adivinhar o que pode trazer alívio para sua dor, tentando fazer alguma coisa. Quero lavar seus pés com água morna, oferecer a alegria de uma comida boa, uma cama macia, carinhos até você adormecer. É só isso que uma mãe pode fazer, mesmo com todo o seu amor. Deus é mãe, sofre também de impotências, mas está sempre lá, pronto para virar as noites acordado e não deixar a gente sozinho.

Não sei o que aconteceu com você e Venâncio, nem com meu neto. Prometo não aumentar sua dor exigindo confidências. Quando quiser falar, você sabe que vou te ouvir. Estou aqui, minha filha. Enquanto isso, confio no tempo de Deus, Ele põe tudo em movimento. Descanse. Abra a janela todas as manhãs, tome um pouco de sol. Traga flores para dentro de casa. Com amor, sua mãe.

Depois que esses pensamentos viraram carta, Aurora quis voltar para cuidar de Dalva. Mas a filha pediu para ficar sozinha. Na voz dela alguma coisa tinha mudado. A parte boa parecia estar começando a dar conta da parte ruim.

140   **Capítulo 26**

Amim cercou Venâncio durante todo o dia. Queria dizer alguma coisa, mas estava travado no receio. Nos últimos tempos a convivência entre eles era custosa. Venâncio cada vez mais bruto nas respostas, sem paciência com nada, mal dava bom dia, e tudo o que falava era de um jeito áspero. Mesmo assim, Amim achou que era da obrigação dele falar sobre Dalva. Então, já na hora de ir embora, respirou fundo e desenrolou a língua. Ontem aquela mulher lá da zona, a tal de Lucy, fez uma maldade sem tamanho com dona Dalva, quase arrancou os dedos dela fora. Diz que dona Dalva tombou de joelho de tanto chorar, deve ter sentido uma dor sem tamanho, jorrou sangue. Foi Manu quem falou alto e apartou as duas, botou rédeas naquela mulher sem trégua. Dona Dalva se arrisca de ficar passando ali na porta, é por isso que estou falando, que é pra...

O transtorno de Venâncio interrompeu a conversa, fez Amim se arrepender de ter tocado no assunto, sentiu que estava pondo uma desgraça em andamento. Venâncio saiu da marcenaria cego de ódio, caminhou na direção de casa num passo apertado, abriu a porta ventando, foi direto ao quarto de Dalva. Há anos não entrava ali, entrou sem bater, a mulher dobrava umas roupas sobre a cama, assustou com a presença dele, mas não chegou a olhar em sua cara, continuou no movimento lento, com uma das mãos visivelmente inútil. Venâncio caminhou até ela, pegou delicado em seu braço e trouxe sua mão para perto. Os dedos estavam magoados, as marcas de dentes profundas. Dalva tirou a mão arredia, virou as costas, entrou no banheiro trancando a porta. Venâncio talhou de ódio. Tornou a sair pela rua congestionado, os dentes apertados na boca seca. Amim esperava por ele do lado de fora, correu atrás o quanto pôde tentando evitar o pior.

Venâncio, tenha calma, esfria a cabeça, uma besteira não conserta outra, meu filho. Mas não tinha freio possível, Amim foi ficando sem fôlego, já não era mais moço, diminuiu o passo vendo Venâncio se afastar. Deus proteja esse coitado.

No dia em que atacou o filho, Venâncio fez aquele mesmo caminho acompanhado também pela loucura. Sentiu muita raiva de si mesmo. Lembrou da primeira vez que odiou seu pai. Foi na hora do almoço, ele era muito pequeno e derramou um copo de suco na toalha branca. O pai bateu a cara dele na toalha molhada até o nariz sangrar. Pra você aprender a prestar atenção, falou aos berros. A covardia do pai em fazer aquilo com um menino de sete anos era imensa e ainda assim menor do que a covardia de atirar o filho recém-nascido longe. Reconheceu: era pior do que o pai. Agora sentia de novo um ódio maior ainda dele mesmo, não era melhor do que aquela puta ordinária. Ela mordeu os dedos de Dalva; ele, o coração. Ela feriu a mulher que odeia; ele, a mulher que ama. Quem é pior, seu merda, quem é pior? Queria matar a vagabunda, mas o justo seria morrer antes. Apertou o passo assim mesmo. Inferno, já não sabia mais o que fazer com tanta miséria.

Quando chegou à zona, Manu estava alerta. Não tinha medo de homem fora de controle, se tivesse, não seria dona de puteiro. Algumas meninas viram Venâncio vindo num passo de morte, a mão armando murros, avisaram. Lucy foi trancada no próprio quarto sob protestos, gritando desaforos, querendo encarar com chupadinhas de dedo a fúria de Venâncio. Puta-ingênua.

Ele entrou desatinado, deixou a raiva ganhar volume, bateu na porta mandando Lucy abrir, vomitando todas as palavras malditas que conhecia. Ameaçou. Não adianta, seu Venâncio, ela não tem a chave porque fui eu que tranquei ela aí dentro, e o senhor não vai arrebentar a porta, como fez outro dia. Não vou impedir o senhor de botar Lucy no lugar dela, mas violência aqui eu não tolero. Nem dela, nem sua. Acalma. Pega um quarto, descansa um pouco, come alguma coisa e deixa a raiva ter chance de não virar desgraça. Manu foi costurando devagar, sabia desarmar um homem, tinha treino. Foi falando, esperando, falando, vendo a respiração dele mudar, sabendo a hora de pegar pelo braço e levar dali.

Venâncio estava exausto dele mesmo, de viver naquele corpo, das lembranças na boca amarga, tinha saudade demais dentro dele, o remorso era um estilete afiado ferindo tudo. Correntes. Queria um pouco de vazio. Tinha pressa de morrer, era isso o que mais tinha. Deixou Manu cuidar dele, tirar o sapato, pôr debaixo da coberta. Ia fazer o quê? Matar Lucy? Arrebentar com ela? Covarde que ele era. Merecia ser torturado, passar a vida preso pelo que tinha feito. Como pôde bater em Dalva? Nem confessar seu crime confessava, e agora queria punir o deslize daquela puta miserável? Bancar o protetor de sua mulher depois de ter destruído a vida dela? Ele que fez tudo no escuro, queria matar a vagabunda que fez tudo na luz do dia, na frente da rua cheia? Muito mais decente do que ele. Covarde. Sem dar uma folga para os pensamentos ruins, chicoteando a própria carne, insistiu na tortura o quanto pôde, mas acabou sendo vencido pelo sono profundo, a maior bondade de Deus com a gente. Dormiu uma eternidade, virou pedra.

Quando acordou, horas depois, bambo de tanta ausência, na trégua que dormir dá, viu Lucy na luz rala do dia que nascia pela janela. Ela estava lá, num silêncio que não combinava com seu destempero, serena, esperando ele acordar. A raiva nele tinha ido embora, a realidade fugia na neblina do sono, não tinha forças para mandar Lucy sair. Deixou que ela tentasse ser dele como nunca tinha deixado antes. Viu ela tirar a roupa, revelar os seios no tamanho exato de não faltar nada nem sobrar, seios firmes, empinados como dois olhos abertos contemplando o céu. Viu ela revelar o ventre, os pelos, as pernas desenhadas e longas. Deixou ela se aproximar, sentar na sua boca, roçar suave os pelos no seu rosto. Sentiu o cheiro dela, a pele macia da bunda carnuda esfregando na sua cara, o sexo molhado querendo sua língua, tentando provocar sua sede. Nada aconteceu. Nada latejou nele. Nem quando ela foi ficando louca, quando pegou seu pau triste e pôs na boca, quando molhou o bico do peito com os dedos e se deitou sobre ele se movimentando frenética, desvairada, nem quando implorou com palavras chulas para ter ele dentro dela, nada aconteceu. Lucy tinha tentado tudo o que sabia, esbarrou no próprio cansaço, achou que tinha chegado perto, mas viu como nunca o tamanho da distância. Ele não estava lá. Não botou ela para fora porque estava ausente. Só seu corpo, vazio de vontade, continuava ali, sem reação, respirando indiferente. Era um homem morto no corpo vivo, sem vontade de gozar, morto como os pais de Lucy, incapazes de dizer sim para ela. Sofreu. Desistiu de insistir, a vontade de chorar embolou na garganta. Encostou o corpo na parede fria sem pressa, fechou os olhos úmidos e soltou o ar como quem põe para fora um peso, pôs a mão na cabeça, arrancou os grampos e deixou que caíssem no chão se desfazendo de tudo o que não era ela, libertou os cabelos que se desmancharam macios sobre os ombros agudos. Venâncio viu. Reconheceu. Deixou escapulir sem controle uma emoção visceral: era assim que Dalva se preparava para ele. A lucidez ficou fora de alcance. Os olhos se encheram de uma água triste. Mar. Viu no movimento de Lucy o que amava em Dalva e a possibilidade de tocar a felicidade que já tinha sido sua quando ela também era. Trepou com Lucy, fingiu que não era ela e acreditou. Fez amor. Tinha anos de saudade represada.

146   Capitulo 27

Não se dá tanta alegria a uma puta impunemente. É um
perigo tirar das cinzas quem com muito custo aceita não ter tudo
o que quer. Lucy não entendeu o que pôs o reverso em jogo, não quis
saber de onde veio toda a paixão de Venâncio, apenas experimentou
ser ela de novo. Retomou a fé no próprio taco. Se achou melhor do
que imaginava e, no entorpecido da vaidade, não calculou o risco
do que vivia. Já tinha trepado mais de mil vezes, em todo lugar, de
todo jeito, com todo tipo de homem, conhecia e gostava do gozo.
Sabia a delícia de escorrer. Mas dessa vez tinha sido diferente, dessa
vez, junto com o corpo, tinha ela. A carne e as entranhas não foram
sozinhas como de costume. Deitar com Venâncio acordou lugares
desconhecidos. Estremeceu o invisível, arrepiou a alma com a pele
dele, a saliva, o sêmen, tudo parecia o primeiro gole. Era a poesia
no corpo. O jeito de mandar nela sem força, fazer ela querer o
que ele queria trouxe a novidade da submissão. Se é assim que a
obediência fica cega, é assim também que ela se torna leve. Perdeu

a indiferença, foi expulsa do paraíso. Agora sim, ia conhecer a dor de verdade. Mas, enquanto era só alegria, Lucy empinou o nariz e aumentou o volume. Tinha o que queria, ia esfregar na cara de todo mundo a conquista, fincar a bandeira no lugar mais alto, mijar no território. Quem torceu contra e se divertiu com a rejeição enfiou o rabo entre as pernas. Azedou com a volta por cima. A putaiada retornou ao andar de baixo. Bem feito! Mas ter Venâncio ainda era pouco, muito mesmo seria Dalva não ter mais. A sofredora eterna bem longe era o pedaço que faltava para a alegria ficar completa. Tratou de esperar por ela no alpendre, ia ser a primeira a saber da melhor trepada de sua vida. Agora a vaca vai ter que procurar seu rumo, gritou Lucy, assim que Dalva apareceu na esquina.

O mundo parecia agarrado no mesmo lugar. A plateia ia se formar, Dalva ia seguir seu caminho de cabeça erguida, e Lucy faria seu espetáculo. Tudo no leito do previsível, é lá que o caminho está, é lá que a água vira rio. Dalva ouviu a descrição maldosa de Lucy e os detalhes do que viveu com Venâncio. A cara continuou imóvel, mas o estômago revirou. Pensou em parar, ficar ali ouvindo, deixar o vômito vir e molhar tudo. Espalhar o fedor que carregava por dentro. A cicatriz no dedo repuxou. Custou a dar conta do que ouviu e precisou fazer força para manter o passo. Lucy berrava: Venâncio acaba de virar o homem da minha vida, trepamos com vontade, ele dentro de mim batendo estaca. Eu aguento o tranco, tenho carne. Beleza de homem, hem, dona Dalva, mas, pra senhora, acabou, pode fazer as malas, que agora é meu. Provei, gostei, vou ficar com ele pra mim. Dalva sentiu um ódio novo de Venâncio. Imaginou os dois juntos, mas a raiva mesmo, a raiva maior, veio dele ainda viver dentro dela, o ciúme impunha sua escuridão, não tinha esquecido. Soube que estava na hora de ir embora para sempre. Ia ter que arrumar pernas depois que encontrasse coragem.

Lucy também já fazia planos. Na cabeça os arranjos estavam prontos, decidia por conta própria o rumo das coisas. Começou a querer uma casa para ela, ia largar o puteiro de vez. Agora, que dava só para Venâncio, não cabia mais num quarto, precisava de todos os cômodos, tinha grandes expectativas de trepar na sala, na cozinha, na copa e no quintal. Sairia da Casa de Manu, mas manteria suas atividades diárias sem fins lucrativos, ironizava. Tinha como certo que Venâncio iria viver com ela, e a vaca sofredora viveria com a puta que a pariu. Estava decidido.

Os encontros alimentavam a ilusão. Ela soltava o cabelo e Venâncio revisitava o passado, fechava os olhos e, sem olhar Lucy, trepava com Dalva. Os dias foram agravando o adoecimento. Cada um, isolado na própria loucura, construiu o enredo que bem entendeu. Uma hora, tanta independência ia acabar entrando em choque. Na vida, o mal resolvido sempre tromba na gente, ninguém escapa das tangentes.

Lucy não era uma menininha sonhadora com vontades de véu e grinalda e muito menos uma puta ingênua. Mesmo assim caiu na armadilha da paixão voraz. Fantasiou final feliz, romanceou o improvável, negou tudo o que sabia e foi subindo alto preparando um belo tombo. Era o abandono de uma vida inteira que cobrava sua conta, impunha seu ponto de vista cego. Deu para acreditar no amor. Impaciente, esperava todos os dias por Venâncio, e a presença dele se tornou uma exigência na cabeça dela, como se alguma promessa tivesse sido feita. Não tinha. Mais cedo do que esperava, o beliscão deu o tranco e arrancou o sonho dela.

Venâncio sumiu vários dias seguidos, justo quando Lucy tinha pressa de falar com ele. Tinha fortes motivos para querer precipitar os acontecimentos. Achou uma desfeita digna de cobrança ele não aparecer. Dalva passava como de costume, e ela agressiva exigia notícias, como se fosse dona da outra. Não tinha resposta, o silêncio na cabeça erguida de Dalva caminhava sem abalos, estava mais distante do que nunca, preparava a retirada. Sua indiferença irrigava o veneno. A irritação tomava o comando do que se seguia. Lucy reagia grosseira, aos trancos, xingava todo mundo, pisava duro, ofendia os inocentes, possuída por uma acidez difícil de aguentar. Desaforo esse homem sumir sem dar satisfação nenhuma. Filho de uma puta bagacenta, ordinário. Mas não tinha desabafo que aliviasse sua agonia. A demora foi se estendendo além do suportável, Lucy tinha pressa de resolver a vida dos dois. Não quis nem saber, acordou sem sequer ter dormido e baixou na casa de Venâncio. Esmurrou a porta disposta a ouvir uma boa explicação. Uma completa falta de noção bem na beirada do abismo.

Quem abriu foi Dalva. Não teve tempo de pensar, nem reagir. Lucy arredou ela para o lado e entrou, falando sem medir consequência. Caminhou à vontade até dar de cara com Venâncio já no rumo do surto, descolorido, alterado, respirando fora do ritmo. Quem essa puta pensa que é pra vir na casa que é de Dalva e minha? Só matando essa vagabunda. Catou com violência o braço dela no movimento de pôr pra fora.

Dalva tinha seguido para a cozinha, não era plateia, o café sendo passado cheirava forte, e a porta aberta não impedia a cena de chegar aos seus ouvidos.

Lucy esperneou e não fez rodeio, foi direto ao assunto, a voz alta cortou o ar nítida, não havia engano: estava grávida. O quê?, berrou Venâncio apertando os dois braços dela, querendo partir ao meio a desgraçada. Não era uma pergunta, era um urro, um não estrondoso como um trovão depois do raio. Quis que ela sumisse, tentou esmagar, embolar sua carne como um papel para ser jogado fora. O que, piranha? Sacudiu pesado, como se sacudir Lucy fizesse acordar uma outra vida nele. Grávida? Sua puta traiçoeira. E foi deixando crescer o corpo para cima dela, dando cabeçadas, fazendo ela sangrar, até que a ponta de uma faca arranhou seu pescoço com coragem. Era Dalva. Larga ela, Venâncio, ou eu juro que mato você, lar-ga-ela.

Sob o véu que separava o antes e o depois, as histórias se juntaram sem se misturar, isoladas pela membrana fina do tempo. O que estava acontecendo naquele momento ficou para trás, e o passado ocupou o lugar de tudo o que importava naquele instante. No olhar de Dalva e Venâncio, o encontro que não se esperava mais se impôs como a única coisa pela qual valia a pena esperar. Há quantos anos estavam sob a sombra das pálpebras. Os olhos negros de Dalva brilhavam uma luz inquieta, como estrelas cadentes em noite sem lua, caóticas e belas. Sustentavam penetrantes o comando que as palavras davam, mas entregavam desprotegidos a fragilidade de estar ali diante de Venâncio. Da parte dele, ouvir a voz de Dalva amaciou todas as notas. Era com ele que ela falava. Era para ele que ela olhava. A faca afiada, as palavras duras, a jura de morte soaram como esperança. Me perdoa, Dalva. Me perdoa. Ele existia de novo no sopro do hálito dela, renascia de sua costela ofegante. Soltou Lucy desatento, não importava mais, nada que viesse de outra mulher significava. Me perdoa, Dalva.

O peito de Dalva arfava com o peso do esforço, a mão recuou a faca enquanto os olhos buscaram o desvio. Deu um passo para trás ainda em cena, depois virou as costas e saiu deixando os dois sozinhos. Levou o chão com ela. No coração de Venâncio, o desespero se instalou ríspido ao ver que ela desaparecia. Não haveria perdão, não haveria alívio. Se arrependeu de não ter feito a faca rasgar seu pescoço acabando de vez com o pesadelo de viver sem saída; enquanto estivesse sangrando, ocupado em morrer, não teria visto Dalva se afastar. Se jogou prostrado no sofá, as mãos escondendo o rosto e apagando a luz.

Lucy testemunhava sem reação, sentia ainda Venâncio torturando seus braços, a dor gritava nos ossos como se tivessem sido triturados, o sangue escorria, mas era a expressão desvairada no rosto dele, quando soube da gravidez, que doía mais. Era mesmo uma puta-ingênua. Todos os homens, todas as penetrações, todos os líquidos que desaguaram nela, todo o ódio das esposas traídas, toda a trama contra Duca pareciam insignificantes diante da densidade do que viveu ali. O que viu entre eles era um grande amor desencaminhado. Não tinha lugar para ela, estavam ligados no funcionamento um do outro como uma engrenagem de almas encarnadas, não cabia mais ninguém. Ela não passava de uma figurante desfocada, carta branca. Uma puta-virgem-de-amor. Não era nada, não provocava nada: nem a paixão de Venâncio, nem o ódio de Dalva. A vida dele de verdade acontecia bem distante do enredo que ela inventou. O odiozinho valente que sentia por Dalva sequer triscava no fígado dela. A mulher que ela tanto infernizava, todos os dias, nem vingança queria, pegou uma faca com os dedos deformados pelos seus dentes e sequer mirou na sua direção. Ao contrário, salvou o pescoço dela, talvez a vida, talvez o filho. Não sabia reagir a isso e de certa maneira preferiu não saber. Calou assustada, não tinha forças para rejeitar a piedade de Dalva, nem para amaldiçoar Venâncio, ou cobrar dos dois a conta de toda a ilusão desfeita.

A dor no corpo foi ocupando mais espaço, queria sair dali, pensou em Brando com vontade de ter o colo do tio, ser um pouco filha. O desprezo de estar sendo fraca não demorou a aparecer. Reagiu na superfície. Respirou fundo e foi embora carregando o incerto, pela segunda vez na vida, não tinha um plano. Estava outra vez órfã.

154 Capítulo 28

Para que serve ser livre? Para que serve poder escolher entre 155
ninar ou jogar longe um filho que nasce?

Venâncio pegou seu menino no chão ainda cego de ciúme. Saiu de casa com ele chorando forte nos braços, com passos largos, decididos demais para quem ainda não sabia aonde ir. Seguiu sem rumo, apertando o ritmo das pernas. Aos poucos foi recuperando alguma lucidez. O que tinha feito? O arrependimento veio de uma vez, como um soco que acerta em cheio o pior lugar, o mais sensível, o mais doloroso. Estava num turbilhão sem volta.

Pensou no pai e pôs a culpa nele. Repassou um a um os piores momentos. O suco na toalha, as grosserias repentinas, as reclamações constantes, a violência física, o humor desagradável. A vergonha de ser seu filho. Quantas vezes quis um pai diferente. Tinha aversão a ter intimidade com ele, não confiava, sabia que seria surpreendido pelo desagradável todas as vezes que estivessem juntos. E se esse era um lado escuro da sua vida, acabou também sendo um farol, iluminou o desejo de viver o oposto de toda aquela hostilidade, justamente o que encontrou em Dalva. Podia chegar perto sem medo de levar um soco, podia fechar os olhos e confiar, se entregar, sabia o que esperar dela, a delicadeza viria sempre que ele estivesse ao alcance de suas mãos. Meu Deus, o que eu fiz com Dalva? Ela também confiava nas minhas mãos.

O rancor do pai veio à tona mais forte ainda, compareceu inteiro, profundo. Culpou seu José não pelo que ele, Venâncio, tinha feito, mas pelo que ele era. Por não ter escapado do que viveu, não ter se transformado em outra coisa. Tentava se defender, argumentava consigo mesmo que não tinha escolhido jogar o filho longe, não tinha era sido capaz de não jogar. Maldito. A liberdade é uma conversa fiada, é palavra de efeito, sempre no meio de uma frase para impressionar os desatentos, no fundo estamos presos à incapacidade de ser outra coisa diferente do que somos, do que a história da gente tramou. Queria uma saída, divagava. Apertou o filho nos braços e implorou a Deus pela vida dele. O que ele tinha feito não tinha perdão. Negociou. O perdão não existe justamente para perdoar o imperdoável? As bobagens, os pequenos atritos, os erros aceitáveis não precisam tanto de perdão, basta uma boa vontade, um pouco de amor e tempo, e tudo se dissolve. Implorou por uma saída. Meu Deus, protege meu filho. Mas o menino tinha se calado, as mãozinhas estavam frias e a boca arroxeada. Estava eternamente feito.

Lembrou de dona Aurora, e a aflição esquentou ele por dentro, pesou toneladas. No dia seguinte que esmurrou Bambu e pediu Dalva em casamento, ela amanheceu na sua casa. Chegou cedo, quase com o sol. Dona Inês abriu a porta numa alegria sem tamanho por receber a sogra do filho. Serviu café fresco, que tinha acabado de fazer, com broa de fubá quente. Nem atentou para o óbvio de que uma visita tão cedo é movida pelo que não pode ser adiado; ficou lá, fazendo sala, sustentando a conversa, sem desconfiar do assunto que trazia Aurora ali. Venâncio acompanhou calado só da boca para fora, por dentro dúvidas, vergonha, medo falavam alto. Teve vontade de largar as duas e fugir dali, resistiu e, a um triz de não poder mais aguentar, viu a sogra conduzir o desenrolar das coisas.

Inês, preciso conversar com Venâncio, não é, meu filho? Ele concordou com a cabeça. Dona Inês percebeu, um pouco relutante, que eles queriam ficar sozinhos, saiu se perguntando por que não podia participar da conversa. Resmungou.

Não foi fácil começar. Foi muito grave o que aconteceu ontem. Bambu é uma pessoa da família, muito querido, é nosso amigo há muitos anos, e eu não gostei de ver ele ser machucado dentro da minha casa. Alguns machucados a gente cuida, lava, desinfeta, se for preciso costura. O machucado dá casca, a casca cai e, com o tempo, a marca desaparece. Mas outros machucados a gente não tem muito o que fazer, não é mesmo? Ou porque causam um estrago de todo tamanho no corpo ou porque ferem a alma de um jeito irreversível demais. Um machucado desses destrói não só quem apanha, mas quem bate. Pior do que isso, acaba com o amor. A gente não escolhe sentir ciúme, ele sobe como um vapor, vem à tona, mas a gente não pode deixar ele mandar, dar ordens, cegar para o que é certo e para o que é errado. E agora, o que acontece? Você pede perdão, e o perdão faz o que por todos nós? Faz esquecer? Faz cicatrizar as feridas de Bambu? Você acha que o perdão pode apagar o medo e a solidão que Dalva sentiu, fazer ela desver o que viu? O perdão não muda o passado, nunca se esqueça disso, meu filho. O passado é eterno.

Aurora respirou fundo, tinha acabado, era tudo o que queria dizer. Mas, antes de sair, voltou e, com uma voz de recomeço, um sorriso de quem acaba de compreender o sentido oculto de perdoar, completou: O amor é alegre, Venâncio, se não é alegre, não é amor.

Venâncio apertou mais o filho, queria cair de joelhos e rezar. O perdão faz o quê? Faz o quê? O amor estava perdido, com ou sem perdão, nunca mais o amor de antes. Sangrava uma hemorragia de amputação. Nenhum castigo seria maior do que esse.

Acelerou, quase corria. Já sabia onde encontrar um pouco de bondade.

Capítulo 29

A cidade ia ficando para trás, mas ainda iluminava a rua de terra úmida. Sem lua, era preciso quase adivinhar o caminho. Venâncio firmava a vista num ponto de luz distante e seguia embaraçando as pernas na marcha acelerada. Não havia tempo de temer os buracos, os pedaços de toco, os bichos mal-intencionados. O ar ameaçava ser insuficiente, mas ele seguia valente, tomado de urgência, no galope de quem está prestes a desistir, mas precisa chegar antes.

Foi Dalva quem fez ele conhecer aquele caminho. Desde pequena era lá, aonde ele estava indo, que ela encontrava refúgio para os filhotes que salvava pelas ruas. Quando seu Antônio, depois de tolerar toda sorte de adiamentos, dava um basta nas caridades veterinárias da filha, era para a casa de Francisca que ela corria. Francisca de Assis, segundo dona Aurora, a santinha que amava todos os animais, incluindo os humanos.

Não era exagero chamar Francisca de santa. A vida dela, se fosse livro, vendia. Tinha uma bondade que gente que estuda muito não é capaz de ter. Como se saber demais afastasse a gente do risco de ser bom. Ou da tolice, do desaforo, da pieguice de ter um coração generoso e grande. Uma certa ignorância é o sal da bondade, ajuda a não levar a própria impotência a sério demais. Francisca era assim, sempre achava que podia fazer alguma coisa. Sem saber ler ou escrever, tinha uma sabedoria feita de enxergar os outros, adivinhava o gosto na boca de qualquer um, não tinha sossego com o sofrimento de coisa alguma. Tinha piedade até de boneca estragada. Contam que uma vez ela chorou inconsolável ao encontrar um pezinho de bota abandonado sem o outro pé. Achou que era solidão demais.

Cozinhava como ninguém. Sabia dosar as quantidades, misturar as texturas. Tirava da mágica do pão seu exemplo de esperança: a massa crua que ninguém suporta comer vira um pão quente que todo mundo quer, basta um pouco de calor.

Durante muitos anos, trabalhou na casa de seu Lázaro. A mulher dele, Dinha Zezé, morreu no parto da terceira filha. Deixou uma escadinha de três Marias: D'Ajuda, Das Graças e Das Dores. Para ela, a hora de dar à luz era a mais escura, chorava desesperada antes, durante e depois do parto. Dizem que assim que teve a primeira filha, D'Ajuda, trancou as pernas, queria evitar Lázaro para sempre com medo de engravidar. Mas ele reclamou seus direitos, e ela ficou sem saída. Veio outra barriga, Das Graças foi outro tumulto, horas de trabalho difícil e arriscado, Dinha Zezé perdeu muito sangue, ficou fraca, custou a aprumar, bateu o martelo e sentenciou: não sei evitar filho, tenho que evitar marido. Bem que tentou, mas as desculpas acabaram bem antes do fogo de Lázaro, então ela entregou para Deus enquanto se entregava para ele. Quando descobriu que estava grávida de novo, ficou abatida, parecia pressentir a tragédia.

Nove meses depois, chegou a hora. Dessa vez Dinha Zezé não gritou, sofreu em silêncio. Aguentou calada, mordendo fronhas, se esvaziando em lágrimas. A demora foi uma eternidade. Lázaro caiu no sono, dormiu profundo, acordou com Teresa, a parteira, aos gritos: Dinha Zezé morreu e deixou pro senhor mais uma menina, e digo sem intenção nenhuma de mando que esta Maria é das Dores.

Ele ouviu calado, revirando saliva na boca amarga. Desgraça! A morte põe um olho no passado e outro no futuro e deixa a gente cego na hora, no encontro do que foi e do que será, na tortura do que poderia ter sido. Impõe o desespero do definitivo, trava os movimentos. Embrulha o estômago indigesta. Faz frio nos ossos. A morte é vida intensa demais para quem fica. Lázaro chorou desconsolado, pela mulher, por ele, pelas filhas que iam crescer sem o amor de mãe. Como a morte podia mudar tudo tão sem cerimônia? Aceitou com poucos gestos toda a pena que tiveram dele, mas as palavras soavam inúteis. Não tinha mais Dinha Zezé para amar, mas o amor que sentia por ela continuava lá, o que faria com ele?

As madrinhas, as tias, as primas ofereceram levar uma filha ou outra para criar, mas ele não permitiu. Prometeu nunca separar as meninas e só pôde cumprir a promessa porque tinha Francisca, com toda sua bondade, por perto. Foi ela quem assumiu as Marias. Esqueceu que tinha casa, esqueceu que tinha planos, esqueceu, inclusive, que tinha um noivo: Geraldo. O pobre coitado, em pouco tempo, engrossou a voz e encostou Francisca na parede: ou eu, ou as meninas! Ela sofreu com ter que escolher, não queria magoar ninguém, mas, pelas suas contas, fazia menos mal abrir mão de um noivo do que de três Marias. Tinha virado mãe, a morte de Dinha Zezé foi o revés de um parto, fez as meninas entrarem dentro dela de um jeito tão irreversível quanto nascer. Assim foi.

Passou a morar na casa de Lázaro, sem fins de semana, sem férias, sem outra dedicação. Era uma riqueza crescer em sua companhia, tinha o encantamento nos olhos, via sempre uma bela razão de viver em tudo que via. Os anos passaram rápido e a vida dela foi sendo aquela família, não se arrependia da escolha que tinha feito, pelo contrário, amava a graça de cada coisa, mas, nem por isso, esquecia Geraldo.

Ele se casou com Cilene e teve muitos filhos, mas também não se esqueceu de Francisca. Todos os dias, para ir e voltar do trabalho, passava em frente à casa de Lázaro. Ela, lá de dentro, parecia ouvir os passos de longe, pressentia, chegava bem devagar à janela e via ele se afastar. Lentamente, inclinava o corpo para fora e se demorava ali, era a única hora do dia em que largava tudo e se entregava ao inútil. Esse espiar roubado, atrás da fresta, já arrancava dela um bocado de culpa. Achava errado gostar de um homem casado e não aceitava nem imaginar outra coisa que não fosse só olhar. Mas como, muitas vezes, as coisas acontecem mesmo quando a gente não imagina, mesmo a gente achando errado, Francisca não escapou. Não sabia se livrar daquele sentir, e do sentir para o consentir é só um tombinho de nada, basta um descuido para quem está andando tropeçar.

Foi assim. Um dia como outro qualquer, em que tudo parecia se repetir, depois que Geraldo passou e Francisca se debruçou na janela, vendo seu amor indo embora mais uma vez, ele inventou de olhar para trás. Ela, na pressa de se esconder, voltou o corpo para dentro e, sem se abaixar o suficiente, bateu a cabeça no marco da janela. Caiu tonta no chão, num quase desmaio. Geraldo percebeu o que aconteceu e voltou apressado, abriu a porta da casa e entrou. Ajoelhou ao lado de Francisca e se aproximou mais do que devia. Quando ela abriu os olhos e viu ele ali tão perto, entre acordada e confusa, entre passado e presente, não encontrou corpo para resistir, os dois se embolaram no chão da sala. Ele também tinha saudade.

A bondade não afasta o desejo da gente. Por mais que Francisca pensasse em interromper o que acontecia, foi querendo mais um pouco, só mais um pouquinho e assim adiando o juízo. Foi quando as meninas entraram correndo na sala e, paralisadas, viram o que crianças não devem ver. Francisca se recompôs, mas era tarde. Geraldo queria abrir um buraco no chão e pular. Correu. Saiu às pressas e deixou o estrago espalhado nos olhos arregalados das Marias.

A história chegou aos ouvidos de Lázaro, bastou um pedaço aqui, um pedaço ali para ele fazer um inteiro. Achou grave demais, perdeu a confiança e, sem medir as consequências, mandou Francisca embora. A cidade inteira ficou sabendo o que tinha acontecido. Deram razão a ele. Muitos julgaram e condenaram duramente. Desconfiaram da bondade dela. Fingida, concluíram sem memória, fingida. A maior maldade de todos os tempos, a mais cruel, foi inventar que o sofrimento está para o bem assim como o prazer está para o mal. Foi com essa pedra, endurecida há séculos no nosso caminho, que apedrejaram Francisca.

Ela deu razão para toda sorte de castigo. Merecia. Pediu perdão e foi embora, com o coração devastado. Ficar longe das meninas era acordar morta todos os dias. Não tinha para onde ir, foi dona Aurora quem levou ela para casa sem pestanejar. As guardiãs dos bons costumes tentaram condenar, fizeram suas romarias, mas Aurora foi firme: Francisca é bem-vinda e muito querida na minha casa, quem não puder com isso que se aguente. Conversa encerrada. Ninguém punha um ponto final como Aurora.

Para as Marias, o golpe foi duro também, a falta de Francisca era como perder a mãe pela segunda vez. Nessa época, a caçula tinha seis anos e a mais velha nove, ainda precisavam de cuidados. Lázaro se consumiu em dúvidas, amaldiçoou aquela história. Tinha vontade de matar Geraldo. Era testemunha da dedicação de Francisca, sentia gratidão por ela, mas ia fazer o quê? Que exemplo dava para as filhas se deixasse ela ficar? Que podiam ser vadias, se deitar no chão com qualquer homem casado? A imprudência de expor as meninas, tão pequenas, àquela indecência toda, não deixava escolha. Não tinha como revisar sua posição, cegar as palavras afiadas, mesmo sabendo que nelas cabia muito pouco do que era Francisca de verdade. Foi sustentando a decisão com firmeza. Botou outra pessoa em casa para cuidar de tudo e acreditou que o tempo faria o resto. Se enganou, desconsiderou as leis do amor: a reação tem a mesma força da pancada. O corpo chora com as lágrimas que tem: as meninas adoeceram. Perderam a saúde, uma atrás da outra, e Lázaro foi entendendo que era sua obrigação arranjar as coisas de um jeito mais justo.

Ele tinha uma chácara, a poucos quilômetros da cidade, que vivia abandonada. Melhorou a situação da casa, fez mais um quarto, aumentou a cozinha, arrumou tudo direitinho e levou Francisca para viver lá. No começo ela resistiu, mas os conselhos de Aurora e a saudade das Marias falaram mais alto. Foi. Desde então, todo fim de semana, era para lá que as meninas iam. Adoravam. Francisca esperava por elas com mil agrados, ficavam soltas, podiam levar as amigas, brincar muito e comer bem. Quem precisava de mais? Com o tempo, a chácara se encheu de bichos e crianças. Muitas eram esquecidas ali, dias e mais dias, por suas mães exaustas com a rigidez das tantas regras que inventavam. Dalva sempre ia lá com Aurora. As Marias cresceram, casaram, tiveram seus filhos, e, quando Lázaro morreu, a chácara ficou para Francisca de papel passado.

Foi para lá que Venâncio foi com o filho no colo. Chegou tarde e bastou bater na porta para ela vir acudir. Convidou para entrar, quis fazer um café, esquentar um leite, mas ele preferiu resolver tudo ali, quase no escuro, estava transtornado. Meu filho está morto, Francisca. A voz esgarçada saiu como um soluço, um gemido comovente. Pediu que ela cuidasse de tudo, confessou que nem ele nem Dalva tinham condições de passar pela dor de enterrar o filho. Não entrou em detalhes sobre o que tinha acontecido, e ela não insistiu, viu que ele estava em carne viva.

Francisca gostava muito de Dalva e Venâncio, queria aliviar a dor deles, mas sabia que não enterrar o filho era a pior decisão. Argumentou pesarosa: Venâncio, meu filho, quero muito ajudar vocês. Não tem dor maior do que essa. Mas velar seu filho, rezar por ele, enfrentar o sofrimento de enterrar o menino é como limpar uma ferida fundo para ela poder sarar. Dói demais, mas não tem outro jeito. Sem isso, não cicatriza, o pus fica lá apodrecendo tudo, a dor estaciona atravessada no peito. Eu vou com você ajudar Dalva. A aflição dele aumentou. Mais ela tinha razão, mais ele se desesperava. Apenas sacudiu a cabeça em silêncio e foi se afastando. Estava nas mãos dela. Francisca adivinhava o fel na boca de Venâncio, tudo o que ele calava ela ouvia nitidamente. Não adiantava insistir.

Como ele se chama? Vicente. Ele ia se chamar Vicente. Ela teve misericórdia, era melhor ele ir chorar sozinho, não havia consolo para um coração tão cheio de dor. Vai com Deus, Venâncio, vai com Deus. Vou enterrar seu anjinho, dar a ele asas pra subir ao céu. Francisca de Assis. Aurora tinha razão, era mesmo um bom nome para ela.

Capítulo 30

O tecido leve e acetinado já começava a amarelar com o tempo. A falta de ar, de sol e principalmente de movimento tem o poder de estragar as coisas e faz sem dó o mesmo com a gente. Dalva desenterrou no armário seu vestido de noiva. Lavou o forro relendo com a ponta dos dedos cada nome, lembrando cada história bordada ali. Não era um gesto de saudade, a saudade que tinha de tudo o que não aconteceu depois de seu casamento não cabia nem nos gestos nem na falta deles. Lavou o vestido como um ritual de passagem, uma boa ensaboada no passado, queria ir embora. Decidiu não levar nem um miserável pó do que ia deixar ali. Mas todos aqueles nomes bordados iam com ela, se comoveu, começava a dar conta de não desprezar a parte boa do que viveu. Quando os dedos tocavam o relevo dos nomes, um leve sorriso se esboçava tímido e quase invisível em seus lábios. Se entregou demorada à permissão de reconsiderar as coisas boas como um pertence que se deve levar na mala, brincou de ter um pouco da sua vida de volta e acabou indo dormir muito tarde.

No dia seguinte, quando abriu os olhos, um facho de sol já cobria a penteadeira, o que só acontecia por volta das nove horas da manhã. Saltou da cama apressada, tomou um banho rápido, fez seu café e saiu como sempre pela porta da frente. Estava atrasada para o seu encontro diário. Venâncio não estava mais em casa, já tinha ido para a marcenaria.

Quando pisou na varanda, concentrada em ganhar a rua, encontrou sobre a cadeira de ferro uma cesta forrada com uma cambraia branca. Bordados em diferentes tons de azul, pequenos galhos de folhas cercavam delicados o nome João. Dentro, enrolado em uma manta, dormia sereno um bebê.

Dalva bambeou as pernas, custou a se aproximar. Sentiu que estava sendo observada, procurou pela rua um vestígio qualquer de que a mãe estivesse por perto, vendo o desenrolar das coisas. Talvez fosse uma armadilha. Esperou. As mãos tremiam, não sabia o que fazer. Estava atrasada, mas não podia arredar dali. Inclinou o corpo e observou cada detalhe. O cheiro do bebê invadiu seu coração como uma química perigosa, viciante. As lágrimas vieram. Tudo ao redor do menino exalava carinho. Sua chegada foi preparada por um coração dedicado. Ao lado da cadeira, no chão, uma sacola com um pequeno enxoval. O que acontecia naquela manhã de outono não era um abandono, era uma entrega. Dalva não teve dúvidas, o filho era de Lucy e de Venâncio.

Pegou a cesta com cuidado e entrou com ele em casa. Um bebê no colo de novo significava coisas demasiadas que não conseguia nomear. Levou o menino para o quarto, o menino João. O pequeno ensaiou um sorriso de quem sonha um sonho bom, toda paz do mundo respirando com ele, como um lírio no campo bem-vestido, sem temer o dia de amanhã, entregue à providência divina. Precisava entender o que faria. Não ia poder sair e não tinha como avisar que não iria. Sentiu a aflição crescer dentro dela. Não estava preparada. O que daria para o bebê comer? Precisava da mãe naquela hora, mais um bebê entrava naquela casa e mais uma vez Aurora não estava por perto. Remoeu a mágoa. E Venâncio? O que ele faria? Lembrou das mãos dele arrancando o filho dela. Jogou fora o ar e expulsou o pensamento ruim.

Nove meses vendo a própria barriga crescer, um pouquinho a cada dia, ajuda muito o bebê a encontrar uma mãe esperando por ele, apavorada muitas vezes, mas pelo menos com um estoque de leite no peito. Não era o que acontecia ali. João entrou na vida dela e a despensa estava vazia. O que daria para ele comer? Decidiu que precisava sair, ir ao seu encontro sagrado, nunca faltava. Pegou o menino e foi. Era uma longa caminhada pelo caminho de sempre, mas seu coração batia como se fosse uma estreia. Todas as frases gritavam na sua cabeça, ataques e defesas, coragem e medo, alegria e angústia, todas falando ao mesmo tempo, querendo ter razão.

E se Lucy se arrependesse? E se fosse buscar o menino no final do dia? Precisava ter calma, não podia querer demais. Mas já era tarde. Então dobrou a esquina e entrou na rua da Casa de Manu. Lembrou do que sentia com o tabuleiro de empadas na mão quando se aproximava dos Alves, o corpo repetia por dentro a mesma paisagem, no fundo, é a cabeça que explica para o corpo o que está acontecendo, mas nesse dia não houve tempo. Caminhou, João começava a se mexer, pressentia. Quando passou em frente ao alpendre, Lucy estava lá, sozinha, esperando. Dalva não olhou para ela, mas sentiu que havia ali uma dignidade comovente perfumando o ar. Pensou em diminuir o ritmo, não foi capaz, seguiu com seu silêncio de cabeça erguida. Nove passos depois, o amor já era irreversível. Tinha, sim, mais um filho nos braços.

Capítulo 31

Algumas vezes as mudanças acontecem na marra. Uma guilhotina afiada corta as nossas mãos, e todas as rédeas escapam. É o que pensamos ter acontecido, até que a gente se dá conta de que nunca houve rédeas. Ninguém monta na vida. Brincamos de escolher, brincamos de poder conduzir o destino. Precisamos dessa ilusão para viver os dias de antes, dias em que podemos tudo só porque pensamos poder, e então a vontade do que está fora da gente joga sua sombra densa e pegajosa. Ficamos prisioneiros do que não queremos muito antes da morte. Lucy não punha um tijolo em cima do outro para construir essa visão, não alcançava a profundidade com palavras, mas soube que a vida tinha dado seu coice.

Nos primeiros meses de gravidez, quando o corpo ainda não registrava mudanças, era possível adiar o confronto. Ainda se alimentava da raiva de Venâncio por ter interrompido seu gozo. Mas, com o tempo, a barriga impôs a proximidade do que viria. Ia nascer um menino. Lucy sempre soube que seria menino, não tinha rosas nas entranhas. Estava certa. Sentir o filho crescer tirou tudo do lugar, o bom e o pior da sua vida há anos decantados, escondidos nas dobras do intestino, no fundo do fígado, nas tripas, debaixo do bucho, tudo lá soterrado, parecendo não existir, foi expulso. O caldeirão onde a vida ferve engrossou seu caldo mágico. As certezas saíram no xixi.

Uma ternura inédita encontrou um orifício qualquer por onde entrar. Se tivesse notado a fissura a tempo, teria tamponado. Só viu quando não podia mais nada. As infiltrações dão sempre uma surra sorrateira na gente. De modo que a ternura pingou miúda e foi tomando conta. Lucy queria porque queria botar a estranha para fora. Então começou a bordar. Estava dominada.

João. Um som no oco da boca. Redondo. Uma única vez levou um João para a cama e não conseguiram trepar de tanto que riam. Achou a alegria melhor do que todos os orgasmos, queria dar esse nome para o filho. Estava açucarada. Onde foi que perdi meu chicote? Puta-meiga.

Lucy tinha aprendido a bordar com Duca. A tia megera. Lavou direito as mãos, menina? Era sempre assim que a repetitiva começava. Mandava fazer de novo e de novo até ficar perfeito, um fio triscando o outro delicado, nenhum com permissão para sobressair. Nem força demais para não repuxar, nem força de menos para não ficar bambo. Sabia bordar tão bem como trepar. Pensou em Duca com alguma gratidão. Se desconfiasse que o nome do que sentia era esse, teria voltado atrás. Lembrou do amor da tia por Cleia e Valéria, os olhares e gestos, e compreendeu alguma coisa que sempre odiou. Passou a limpo. E assim foi fazendo a manta, as roupinhas, sempre com diferentes azuis e brancos. Um carinho feito à mão para o filho, que ela daria logo depois de nascer.

Nem por um momento pensava em ficar com ele. Mais por ele do que por ela. Essa era a grande novidade de estar encharcada, com os rios do crescimento circulando à vontade. Tantas correntezas trouxeram a surpresa maior de todas: querer o bem ainda que doesse nela. Até então, não sabia que o mundo tinha cantos, só dava notícias do centro, seu lugar preferido. Viu da esquina alguma coisa que não era ela mesma. É claro que nem só a bondade boiava nesse oceano. Lucy queria sua vida de volta, tinha seus egoísmos sem culpa. Seu corpo e seus orgasmos enfileirados faziam falta. Gostava de ser puta. De ver aqueles homens rastejando, se derramando sob o poder de sua batuta.

Mas, naquele momento, o que não queria ocupava muito mais espaço. Não queria um filho crescendo num puteiro, no colo daquelas mulheres tristes, dormindo nos lençóis manchados de porra. Vendo homens estúpidos pagando pelo que não conseguiam ter de graça, um bando de covardes que desistia de suas mulheres na cama em nome da convivência na mesa. Homens partidos. Vai entender por que uma puta que gosta de dar começa a se importar com a putaria. Mas Lucy começou. Tinha suas crenças, suas contradições e, de alguma maneira, suas lembranças. Era muito pequena quando perdeu a mãe. Teve dúvidas se dar o filho para Dalva era repetir o próprio abandono.

Não, não era. Dalva não era Duca. Dalva tinha um amor abundante no coração, não seria avarenta de afeto. Lucy sabia, de viver na pele, o que é ter uma mãe que põe a gente na cama e espera paciente o sono chegar. Que abaixa a febre, que agasalha do frio, limpa o machucado, alimenta e só trepa com o pai da gente, sem que a gente sequer desconfie quando. Sabia o que era ter uma mãe e depois perder, muito pior do que nunca ter tido. Não queria que seu filho fosse filho da puta. Não queria. Pela primeira vez, por ele, e só por ele, teve vontade de ser outra coisa. Mas também não teve. Diabo! Essa era a encruzilhada, não conseguir ter certeza de que podia ser mãe, abrir mão de abrir as pernas por uma boa quantia, deixar de ser indecente aos berros, poder não ser exemplo. Tentar dar conta seria pouco, não conseguir depois de tentar seria muita ruindade com João, preferia já não existir de cara. Queria essa bondade.

Uma única vez experimentou imaginar ficar com o filho, sentiu vontade de não ser tão sozinha. Foi em um fim de tarde, a barriga já pesava seus movimentos, João não ia demorar a nascer. Bateram na porta do seu quarto de um jeito diferente, tinha alguém esperando por ela na sala. Era Brando. Ele estava lá, o coração de Lucy se comportou mal, denunciou. Não era banal ver o tio ali, era um acontecimento poderoso dentro dela.

Ele estava mais velho, bonito como sempre, com seu sorriso no canto da boca, indecifrável, vendo o mundo um pouco de longe. Ainda quero você dentro de mim, tinham sido as últimas palavras que disse ao tio. Uma espécie de promessa que ele vinha merecer. Quando bateu os olhos em Lucy, ficou desconcertado, a barriga de nove meses entrou na sala antes dela. Estava grávida, sagrada demais, não trepariam!

Ensaiava há muito tempo aquela noite. Grávida? Já era uma puta-velha para ser pega de surpresa. Se tinha um menino ali dentro, foi porque ela quis. Sabia de trás para a frente como evitar filho, foi a primeira coisa que aprendeu com ele. Brando quis ouvir tudo, mas, sem ouvir nada, suspeitou que a ilusão tinha jogado sua rede invisível, Lucy sonhou com o amor e acordou no meio do pesadelo. Estúpida, ele tinha avisado, estúpida. Ela desconversou, não quis falar muito, a história com Venâncio em voz alta soaria mais tola do que desejava confessar, mudou de assunto. Levou Brando para o quarto e pediu que ele ficasse aquela noite, queria botar aqueles anos em dia, saber como tudo se ajeitou depois que ela foi embora. No fundo, queria saber de Duca, de como ela juntou os pedaços e fez a vida continuar.

Brando contou sem resistência, como se precisasse falar sobre aquilo, ouvir a própria voz e ao som dela organizar os pensamentos acumulados durante todos aqueles anos. Logo depois que você foi embora, Duca disse que não me perdoaria, entrou para o quarto e saiu pronta para ir ao casamento de Noêmia. Chegamos de braços dados na igreja como se nada tivesse acontecido. Na frente dos outros, nada de ruim nos acontece, somos de dar inveja. Daquele dia em diante, ela nunca mais tocou no assunto, nem permitiu que eu tocasse. Nada mais foi dito, mas nada foi esquecido um dia sequer, aquilo passou a ser parte de cada olhar nosso, cada palavra que trocamos um com o outro, cada noite, cada manhã, cada refeição juntos, sem trégua. Nosso silêncio era você. Quando Cleia e Valéria perguntaram, Duca chamou as duas no quarto e não sei o que foi dito lá, nada veio à tona, nenhum olhar enojado na minha direção, nenhum silêncio torto me acusando de canalha, nada. O que eu sei é que seu nome desapareceu de vez, nunca mais foi pronunciado dentro da nossa casa. Duca pôs uma pedra pesada em cima do assunto. Pegou todas as suas coisas e queimou. Me disseram que na igreja ela deu notícias curtas e vagas, falou que você escolheu ir embora sem dar satisfação do que ia fazer ou para onde ia, deixou claro que tinha feito a parte dela e que não queria mais se aborrecer com esse assunto. Ninguém se atreveu.

Você foi sendo esquecida até que descobriram seu paradeiro de puta-poderosa. O escândalo movimentou a cidade, Duca ficou abalada, mas manteve a posição: não me interessa, não me surpreende. Foi o que disse da boca para fora, mas por dentro veio o horror daquele dia, tinha sido testemunha do seu poder, Lucy, viu você me arrastar, sofreu agressiva. A cada nova vítima apurada, diminuía um pouco a úlcera dela, até hoje é assim, como se cada mulher traída fosse a prova de que o problema não é ela, é você. Um demônio de pele macia... calou, olhou sem pressa para

Lucy e deixou o desejo tomar a palavra. Buscou os seios dela com mãos delicadas, se enfiando decote adentro, segurando seu seio farto de gravidez avançada. A pele continuava um cetim por onde deslizar os sentidos. Lucy viu o corpo arrepiar, abriu um pouco o vestido para facilitar que as mãos do tio continuassem ali, amansando a saudade dos dois. Gostava dos seus seios grandes e, desde que ficou grávida, não deixou nenhum outro homem se aproximar. Agora, queria o tio dentro dela, mas uma espécie de pudor tirou sua iniciativa. Vocês ainda trepam?, perguntou sem conseguir esconder o quanto estava excitada. Via o desejo nos olhos de Brando, enquanto ele apertava o bico do seu peito, procurando o pulso preciso, fazendo com que ela quisesse o aperto seguinte levemente mais forte que o anterior. Você e Duca ainda trepam? Insistiu. Brando não respondeu, arredou o vestido dela e chupou o bico assanhado, penetrou com dedos nela provocando seu gozo aos poucos até transbordar violento. Lucy quis retribuir, mas ele não deixou. Ainda quero você dentro de mim, confessou sincera. Eles dormiram abraçados como um casal que espera junto o filho que vai nascer, ele fazendo carinhos inocentes nos cabelos dela. A noite fez da cama um ninho, um descanso para qualquer guerra. Antes de clarear, Brando foi embora, depois de encostar a boca nos ouvidos de Lucy e prometer suave: eu volto.

Nos minutos seguintes, ainda misturada com o sono, Lucy quis muito, mais do que qualquer coisa em toda a sua vida, ficar com o filho. Mas a claridade que acorda tudo não demorou a agir. João nasceu pouco tempo depois. Naquela manhã, quando viu Dalva passar com ele, tremeu por dentro, reparou como os braços dela protegiam seu filho e, mesmo não existindo nome para o que sentia, mesmo reconhecendo confusa as estrias do ciúme, da dor e da saudade, sentiu uma paz lenta ocupar cada pedacinho dela. João estava em boas mãos. Não se arrependeu.

Capítulo 32

O choro estava lá para quem quisesse ouvir. João berrava quase cuspindo o pulmão para fora. Eram as cólicas azeitando o corpo inexperiente, suas primeiras tentativas de digerir o mundo. Na madrugada, a dor do pequeno era barulhenta, Dalva ficava descabelada. Acudia o menino, sacudia, cantava baixinho e nada resolvia. Sofria não só com a dor de João, mas com a tensão de não saber o que fazer com Venâncio, do outro lado da parede. Não falava com ele há anos, não contou nada, nem ia contar. Mas tinha medo de uma reação bruta, temia pelo menino.

Venâncio acordou intrigado com aquele choro insistente, custou a entender que não era um sonho. Tinha um bebê chorando de verdade e parecia estar dentro de casa, duvidou desavisado. Levantou e foi atrás. Encostou o ouvido na porta de Dalva e teve certeza, vinha de lá a baderna. Tentou rodar a maçaneta, mas a porta estava trancada. Pensou em bater, perguntar, exigir uma explicação, implorar por ela, mas sabia que seria inútil. Dalva não ia responder, não ia abrir, não ia explicar nada. Não confiava nele. A dor tem memória. Tinha um bebê em casa, e ninguém teve a caridade de avisar, não passava de um homem sozinho. Nem uma fofoqueira desocupada soprou a novidade. Foi embora para o quarto sem chance de pregar os olhos, a noite ia ser longa. A cabeça desandou a trabalhar. Não demorou a suspeitar que o filho fosse dele. Dalva e Lucy misturadas fizeram Venâncio sentir um reboliço por dentro, o incerto esquentou suas costas.

Nunca mais tinha visto Lucy, não voltou ao puteiro nem cruzou com ela na rua. Não tinha notícias da gravidez, não fazia as contas para saber se o bebê tinha nascido, não especulou se era menino ou menina. Nada. Ninguém nunca falava sobre ela com ele. Não dava espaço, era bom em manter as pessoas distantes, sem intimidade. Podia negar se quisesse, quem poderia supor que o filho fosse dele? Filho de puta não tem pai! Covarde! Podia contar uma grande mentira só porque tinha o jeitão de verdade, mas não faria isso: sabia que o filho era dele, sabia.

Algumas vezes pensou em procurar Lucy, mas não teve pressa, o bebê foi mais rápido do que ele, queria dizer que não ia faltar nada para o filho dela. Arcaria com o sustento vida afora. Aprendeu com o pai. Seu José nunca deixou faltar nada de mastigar, nem quando vivia afogado no ódio dele e da mãe. Quando os dois foram morar com a tia, o dinheiro chegava todo mês sem atraso. Nesses dias, a mãe entristecia um pouco, tomada de culpa, como se estivesse sendo dura demais com um homem bom. Ele, Venâncio, tinha vontade de devolver o dinheiro, rasgar, para tirar do pai qualquer atenuante. Nunca tinha ganhado dele o que mais queria, o que mais precisava, não ia vender por uns trocados a consciência tranquila que o pai tentava comprar. Não vendia. Mas, agora, o mundo dava voltas numa espécie de pirraça irônica, cá estava ele pagando língua, pensando em dar um dinheiro para Lucy prover a distância que queria do filho. O engraçado é que, estando do outro lado, passou a achar justo, a pimenta no olho dos outros não parecia mais arder tanto. Foi se distraindo do choro e nem percebeu o exato momento em que o silêncio voltou, o bebê tinha dormido, e Venâncio dormiu com ele.

Quando acordou, Dalva já não estava mais em casa. Normalmente era ele quem saía mais cedo e voltava mais tarde, quando ela já estava enfiada no quarto. Ficavam dias sem se ver. A migalha de luz debaixo da porta trancada era um alívio diário para o seu coração, um sinal de que ela não tinha ido embora. Por que ela não ia embora? Um dia, talvez, ela fosse sem se despedir, apenas não acenderia mais a luz nem trancaria a porta. Talvez. Mas agora ela tinha o filho dele nos braços, sentiu a esperança molhar sua carne. Começava ali um enredo delicado, uma outra primeira página, no papel de casca de ovo. Frágil, com todas as chances de se espedaçar, mas, enquanto não se desmanchasse, era belo.

Com muito custo, Venâncio teve notícias precisas de que o filho tinha nascido, era um menino e se chamava João. Foi Madalena, uma das putas que ele frequentou desatento, quem contou sem saber ao certo o paradeiro da criança. João, de novo, um menino. O outro morreu sem ter um nome, ia se chamar Vicente, mas não foi registrado nem batizado. Como ele pôde ferir o filho? Quantas vezes rezou para acordar como se tudo não passasse de um pesadelo? Quantas vezes rezou para não acordar nunca mais. Uma dor que fazia ele morrer todos os dias, muitas e muitas vezes. Estava agarrado nesse lugar, e agora, de onde ele menos esperava, vinha uma correnteza de novas promessas.

João era ele nascendo de novo, um recomeço, um vapor de esperança. Ficou como uma criança tramando um jeito de se aproximar, sem pensar nos riscos, imaginando se esconder debaixo da cama de Dalva, se aventurar sobre caixotes mal empilhados para espiar pela janela, vasculhar o lixo atrás do que ele comia, do que punha para fora, subir em árvores para esperar Dalva passar. Queria ver o menino e, mais do que tudo, ver Dalva cuidando dele. Ver Dalva nascendo de novo também.

Os rastros eram discretos, embora as cólicas continuassem escandalosas. Vez ou outra uma fralda amanhecia ao sol, esquecida, como uma bandeira branca ao vento, acenando uma paz qualquer entre eles.

Então, depois de muito tempo nessa perseguição silenciosa, uma manhã, ao ouvir o chuveiro de Dalva ligado, Venâncio tomou coragem, subiu nos caixotes e entrou no quarto pela janela levemente aberta. O filho estava deitado no meio da cama, quase sem roupa, com o sol delicado das primeiras horas esquentando seu corpo. Tinha os olhos grandes e profundos, olhos de infinito, com aquela presença densa de quem ainda não sabe escapar com os pensamentos, uma sabedoria que a gente vai perdendo com o tempo.

Venâncio se aproximou lento, mal pisando o chão. Olhou demorado, o coração comovido, pegou nas mãozinhas do menino, passou o dedo suave no seu rosto, sentiu seu cheiro tocando a ponta do nariz em seus pezinhos. Achou João tão bonito. A pele tão boa. Pegou o filho contra seu peito num abraço cuidadoso. João, não tenha medo de mim. Pensou fechando os olhos e respirando junto com ele como se pudessem levantar um voo abençoado. Olhar a terra lá de cima entre o azul e as nuvens, ver todas as águas indo para o mar sem o risco de se perderem pelo caminho. A culpa quis atrapalhar com ofensas, mas Venâncio ignorou. Só queria estar ali um pouco. Descansar do desamor. Sentia o ar quente saindo da boca pequena, e a vida sendo calorosa com ele. João, meu filho... Nesse momento, as mãos de Dalva tomaram o menino dele, com o rosto transtornado, ela tremia quase sem ar. O pavor de ver Venâncio jogar o filho longe se apoderou dos seus gestos. Cegou. Cobriu João com uma manta e se virou, não disse nada, nunca dizia nada, essa era a pena perpétua que Venâncio pagaria. A prisão a que estava condenado.

Mas, dessa vez, ele não se entregou à tortura, não desabou, não ia desistir do que sentiu naqueles segundos. Estava vivo de novo. Dalva não podia ver ele por dentro e, sem ver, não podia acreditar em nada que não fosse o que ele tinha feito com o filho deles. Ele não era só o horror daquele dia. Quanto de sofrimento ela ainda queria? Quanto mais ela aguentaria ver ele sofrer? João estava ali como uma chuva que vinha lavar tudo, molhar todo o deserto. Tinha experimentado as primeiras gotas, queria o temporal. Não tranque mais a porta, Dalva, por favor, não tranque mais a porta. Mal saiu do quarto, ouviu a chave girar novamente.

Não tinha importância, fez uma cópia da chave, ela entrava no banho, ele entrava no quarto. Dalva deixava o menino de um jeito na cama e encontrava de outro. A pulga mordia fundo atrás da orelha, ela conferia a porta e estava trancada, espiava pela janela e não via nada, não tinha o que fazer. Suspeitava de mãos atadas.

João crescia e engordava rápido. A rotina sagrada dos dois não se alterava: saíam cedo e voltavam ao entardecer. Antes da chegada do filho, Venâncio acreditava que Dalva ia à igreja. Algumas vezes seguiu seus passos de longe, viu com os próprios olhos ela entrar e só sair no final do dia. Mas, agora, começava a duvidar de que passasse tanto tempo por lá com o filho tão pequeno, que ainda precisava de uma pilha de cuidados – comer, dormir, trocar e depois tudo de novo e de novo num ciclo sem fim. Desconfiou. É claro que tinha alguma coisa errada ali, mas ia ficar para depois; agora, tinha pressa em outra direção. Se dedicou.

Quando Dalva acendeu a luz, as pernas bambearam. Não acreditou no que viu: no canto do quarto, um berço de madeira.

Reconheceu as mãos de Venâncio. As ripas fininhas faziam uma grade delicada, que não terminava reta, mas em uma onda suave, como se fosse o desejo de uma vida sem arestas. Os pés em balanço eram capazes de ninar João até ele dormir. Caindo como uma névoa do alto ao chão, um véu delicado protegia o berço. O colchão e os travesseiros estavam cobertos com fronhas, mantas e lençóis bordados com o nome dele. Pequenas estrelas de diferentes tons de madeira caíam dependuradas sobre o berço, como uma cortina leve, desalinhada, fazendo um céu sensível a toda brisa. Dalva chorou de perder o fôlego, não estava preparada para sentir o que sentiu. Como ele se atrevia a fazer isso? Como ousava amansar seu coração, lançar aquele afeto sobre ela, suavizar suas mágoas, deixando em neblinas o passado? Com que direito ele fazia ela enxergar o que já tinha amado nele? Como ele pôde dar uma forma tão linda ao amor de pai se deveria ser capaz apenas de sofrer, sofrer e sofrer, depois de tudo o que tinha feito com eles? Dalva já não podia mais tirar o berço de João, nem dela mesma. Estava vulnerável. Um pedaço de pão no leite. Amolecia.

Venâncio não parou por aí. Todos os dias marcava sua presença. Deixava um agrado ou outro na mesa e um bilhete para João como se ele soubesse ler: Tenha um bom dia, meu filho. Cuide de sua mãe. Acordava cedo, lavava as mamadeiras, comprava fraldas, espalhava brinquedos no berço, na cama, no sofá. Enchia a casa de bolas, chocalhos, cavalinhos, carros de madeira feitos por ele. Dalva começou a esperar por cada movimento, cada surpresa; aos poucos foi esquecendo de trancar a porta, aos poucos foi deixando que ela ficasse aberta antes de entrar no banho. Esquecia silenciosa uma fresta entre o banheiro e o quarto e espiava Venâncio com João. Se emocionava com o que um fazia pelo outro. Dividida, tentava algum acordo dentro dela. Estava chegando a hora, sentia que estava chegando a hora. Tudo viria à tona.

Então, certa manhã, quando saiu do banho, não viu João no quarto. O coração cobrou acelerado uma explicação. Saiu pela casa assustada. E se Venâncio tivesse surtado? E se tivesse levado o menino embora? Foram segundos de imaginação perversa, fazendo dele um homem capaz das maiores crueldades. Quando entrou na sala, Venâncio estava deitado no sofá, dormia com João de bruços sobre seu peito. O pequeno subia e descia na música que o pai respirava. Estava lá de olhinhos fechados, as mãozinhas postas sob a bochecha, a boca desenhada gostando de sorrir um sonho sem palavras. Acabou, Dalva, não era mais preciso ter medo. Estava pronta.

Capítulo 33

Todo mundo aqui em casa canta bem, é afinado, tem ritmo, mas ninguém canta como Dalva. A voz dela para a gente no meio de qualquer coisa, dá vontade só de ouvir, fechar o olho e ir com ela, sem pressa e sem distração. Quando Dalva canta, tudo que é ruim desaparece, fica só a vontade de ficar perto, é uma beleza, não tem outro lugar melhor no mundo do que estar ali ouvindo.

Era assim que seu Antônio reclamava a saudade da filha, as cantorias não tinham mais o brilho que costumavam ter. A voz encorpada sabia ser delicada, mesmo tendo força para ocupar a sala inteira, brincando grave e aguda de abraçar as palavras e libertar seus sentidos. Fazia muita falta para ele. Fazia muita falta para ela. Há anos não cantava mais.

Mas, naquela manhã, cantou. Deu o banho em João inventando uma música sem nome, feita no improviso de deixar ele feliz. Com as mãozinhas, o pequeno buscava a boca de Dalva encantado com o movimento dos lábios. A banheira estava sobre a cama, a janela aberta deixava ver o azul de abril, o sol entrando ainda suave parecia vitorioso em seu incansável desejo de esperança: mais um dia.

Do outro lado, Venâncio ouvia. Estava imóvel, Dalva cantava.

Ela vestia João brincando de cheirar suas dobrinhas, caminhava com as pontas dos dedos sobre suas pernas e barriga atrás de cócegas. Ele reagia esperto, aprendendo a rir. Tudo era brincadeira, vestir azul-marinho, pentear o cabelo, calçar o sapato, levar o bico à boca. Uma alegria de menino amado.

Dalva também se arrumou, soltou o cabelo, pôs um vestido antigo de primavera. Reencontrou seu jeito de andar quando saiu com ele pela rua. Naquele dia, esqueceu em algum lugar as toneladas do mundo que carregava nos ombros. Começava a se despedir de seu casulo cinza. Suas asas já tinham cor e forma e rompiam a casca que acolheu por anos a sua morte se engravidando de uma nova vida. Ainda não era, mas seria uma borboleta.

Pegou o caminho de sempre. Se alguém observasse, veria que a intenção não era passar pela Casa de Manu, era parar. Foi o que ela fez. Só Doralda se esticava no alpendre, a noite tinha abusado dela.

Assustou quando viu Dalva e João parados olhando. Levantou depressa e solícita atendeu ao que Dalva pedia: Você pode chamar Lucy, por favor?

Lucy entrou no alpendre levando com ela seu jeito barulhento. Os cabelos desorganizados denunciavam que acabara de acordar. Uma camisola branca deixava ver a beleza de seus seios, a transparência das formas das pernas, a sombra do umbigo e dos pelos. Estava nua. Estava deslumbrante, provocava desejos de devorar. Esta era a verdade que as águas transbordavam: só olhar não matava a fome que ela provocava.

Quando viu Dalva e o filho, sentiu tudo revirando dentro dela, uma vertigem poderosa custou a ser dominada. Teve vergonha, estava nua demais diante dos dois. Reduziu o passo, se calou sem nenhuma arrogância, como se toda a suavidade do mundo pousasse sobre ela. Aproximou engolindo seco, poucas vezes não sabia o que fazer, tentou se cobrir um pouco como se diante do filho precisasse ser menos indecente, queria merecer seu respeito.

Ele estava lá ao alcance de suas mãos, os olhos espertos gostando de aprender o mundo. Se demorou nele e depois, em silêncio, encontrou os olhos de Dalva. O cabelo solto, o vestido florido mudavam tudo. Reconheceu a intensidade do amor que ela inspirava. Preciso que você fique com João hoje, na sacola tem tudo, anotei cada coisa no papel para você saber o que fazer. Antes do fim da tarde, eu venho buscar nosso filho. A voz era serena, soava como um pedido. Nosso filho. Lucy não sabia ao certo o que sentir. Era bom e ruim ao mesmo tempo, seu corpo tremia, se negava a obedecer, ela que podia tudo com ele, todas as posições, todas as explosões múltiplas, naquele momento apenas tremia indomável. Estendeu os braços e pegou João, mas era como se ele pegasse Lucy no colo e a obrigasse a uma pequena dança. Acalmou.

As outras putas já estavam volumosas no alpendre, recuadas, acompanhando de longe uma negociação de guerra no meio do campo de batalha. Ignoravam que não havia mais guerra, há muito outras forças moviam as duas. Dalva agradeceu sincera e prosseguiu. Lucy ficou ali, com o filho nos braços, vendo ela se afastar. Não compreenderia aquela mulher nunca. Nunca.

Capítulo 34

Tantas vezes Dalva percorreu aquele caminho. Atravessou a igreja sentindo o silêncio do seu vazio. Mesmo nos piores momentos, o som da igreja deserta fazia bem para ela, como se todas as preces feitas ali encontrassem no silêncio, e apenas nele, o ouvido generoso de Deus. Saiu por uma porta lateral que vivia trancada. O padre, um homem piedoso que conhecia Dalva desde menina, deu a ela a chave, sem exigir explicações. Confiou. A porta dava para um descampado que cortava abandonado o caminho para a casa de Francisca. Dalva seguiu por ele. De longe, era como se as flores do seu vestido no seu caminhar bailado dançassem pelo campo, a poesia acompanhava seus movimentos. Pensou se uma mulher tem o direito de perdoar um homem que bate nela. Não encontrou a resposta, talvez não houvesse uma resposta.

Depois daquela noite em que Venâncio jogou o filho longe e bateu nela, Dalva se trancou em casa. Sua mãe veio, ficou o quanto pôde e voltou para o outro lado do mundo. Quase dois meses tinham se passado da tragédia, com ela disposta a morrer aos poucos, quando bateram na porta. Era a filha de Maria das Dores, Clarisse, uma menina de uns treze anos, que trazia um recado de Francisca. Por muito pouco Dalva não abriu a porta. Mas, ao ouvir a voz da menina gritando e as batidas tão insistentes, foi tomada por um pressentimento, como se alguma força, maior do que ela, empurrasse seu corpo ao encontro do que Clarisse trazia. Vó Francisca pediu para a senhora ir lá, mandou entregar isso. A menina deu para Dalva uma medalhinha do Espírito Santo, a medalhinha que Vicente ganhou dela quando nasceu. Dalva perdeu a cor, lembrou do exato momento em que o alfinete rompeu o algodão azul quando ela prendia na roupa de Vicente o sonho de protegê-lo. Milhões de perguntas começaram a se atropelar. Como aquilo tinha ido parar nas mãos de Francisca? Venâncio nunca contou o que tinha acontecido naquela noite, ela não perguntou. Tinha medo da resposta. Sabia que o filho estava morto, milhares de vezes Venâncio pediu, exigiu, se desesperou por perdão, seu remorso violento confessava a morte do menino. Não perguntar com todas as letras foi uma escolha de sobrevivência, não suportaria ter certeza. Algumas pessoas preferem enfrentar o pior, ela não, queria adiar para sempre. E, agora, a medalhinha estava ali. Teve a certeza que tentou evitar. Renovou o desespero.

Sem se trocar, sem trancar a porta, sem esvaziar a bexiga, foi para a casa de Francisca com o coração esmagado por todo o caminho, o ódio no rosto de Venâncio fez Dalva esquecer o rosto do filho. Não conseguir se lembrar dele doía tanto quanto não ter seu menino nos braços.

Estava exausta, fraca, muitas vezes precisou parar e reunir forças antes de um novo passo. Da janela, Francisca viu de longe Dalva se arrastar tentando chegar. Foi ao seu encontro. Deu nela um abraço demorado como se a arrancasse da cruz, podia sentir seus ossos, o corpo se entregando indefeso. Ficaram ali em silêncio por minutos eternos. Onde está Venâncio? Dalva balançou a cabeça em um não triste: onde estaria o Venâncio que ela tinha amado? Não sabia, estava perdido. Francisca não insistiu, segurou com bondade o rosto dela em suas mãos, foi resgatando Dalva de toda a distância, invadindo delicada sua solidão, e com calma devolveu a vida a ela: seu filho está vivo, Dalva. O menino aprumou.

O quê? Por onde começar a reagir? O que acontece com a boa mãe que sofre a perda brutal de um filho, vive sua morte por dias intermináveis, definha com o irreversível de uma perda eterna ao ouvir: seu filho está vivo? Deveria sair pulando, gritando com toda a força do pulmão: meu filho está vivo? Deveria correr e preparar uma festa? Andar de joelhos no chão até que suas feridas não deixassem esquecer a graça alcançada? Dalva desconfiou de si mesma, de sua sanidade, reagiu refratária. Como um espelho, recusou potente a luz do sol, devolveu, não podia entender o que ouvia, não suportaria o equívoco. Seu corpo se agitou silencioso tentando se organizar. Demora alguns segundos emergir de uma tragédia, é prudente desconfiar dos milagres. O quê? Meu filho? Seu filho, Dalva, Vicente, está vivo! Agora sim, ouviu, teve certeza de que ouviu. Vicente? Meu filho? Meu menino? Apertou a medalhinha na mão. A esperança ganhou espaço. Toda a fraqueza foi desaparecendo. Dalva abraçou Francisca, se alimentou de urgência, estava pronta para atravessar o mar. O que tinha acontecido, por que ela demorou a avisar? Queria saber de tudo, cada detalhe, cada segundo da luta dele! Mas não agora, agora queria o filho nos braços, apenas ele e ela. Onde ele está?

Vicente dormia sereno, alheio a toda loucura. Dalva tomou seu amor nos braços e deixou o resto do mundo do lado de fora. Ali ficou até ele acordar. Aos poucos, foi se dando conta de que também estava acordada. Passeou pelas feições do filho, decorou o rostinho dele, sentiu seu cheiro, tomou a temperatura. Não queria botar palavras entre eles, só existir. Deixou o dia ir embora, naquela noite não voltou para casa.

Francisca estava aflita para esclarecer tudo, mas a conversa viria quando Dalva estivesse pronta. Respeitou, achou que não podia apressar um reencontro daqueles. Mãe e filho precisavam de um tempo. Fez uma sopa bem temperada, aqueceu os pés de Dalva, deixou que ela cuidasse das necessidades de Vicente por toda a noite. Você quer que mande chamar Venâncio? Dalva estremeceu. Não queria.

Quando amanheceu, Francisca já estava de pé alimentando os bichos, assando biscoitos, limpando a casa com uma disposição alegre de missão cumprida. Dalva se aproximou e contou o que tinha acontecido. Era a primeira vez que falava para alguém o que ela, Venâncio e Vicente viveram. Contou como quem narra de cor uma história antiga, sem faltar ou sobrar detalhe. Apenas a água nos olhos e algumas pausas mais demoradas denunciavam que, por dentro, vivia novamente cada segundo, cada textura, cada som, cada gosto daquela dor.

Não exagerou, não alterou a voz, não garimpou palavras para amaldiçoar, nem deu asas ao ódio ou a qualquer desejo de vingança, mas antes de se calar pediu a Francisca que não contasse a Venâncio que Vicente estava vivo. Percebeu que ela ficou inquieta, sem lugar, como se um sapato apertasse seus pés, esmagasse seus dedos. Não concordava em esconder de Venâncio, ele era o pai. Não era justo. Era testemunha do desespero, do sofrimento que viu nele quando entregou Vicente a ela. Nos braços dele, Vicente estava morto, frio, os lábios roxos, cerrados. Só quando ela levou o menino para dentro de casa, percebeu que ele respirava milímetros. Estava muito fraco, num morre e vive incerto. Foram dias difíceis. Pensei em mandar avisar, chamar vocês, mas achei que seria duro demais perder um filho duas vezes, agarrei em cuidar, esquentar, alimentar o menino pra vida firmar no corpinho dele.

Sei o tamanho do seu sofrimento, Dalva, juro que eu sei, não dele inteiro, mas de um beiradinha, eu sei. Os poucos dias que fiquei longe das minhas Marias, acreditando que era pra sempre, me rasgaram por dentro. Não fosse a bondade de sua mãe, não sei o que teria sido, não tinha vontade de levantar da cama, ela me levava uma gemada quente todas as manhãs, botava a mão no meu coração e dizia: Tudo passa, você vai ver, tudo passa. Ela tinha razão. A vida dá um jeito de manter a gente vivo mesmo quando a gente morre de dor. Não adie a reparação de Venâncio. Deixar ele sofrendo acreditando que matou o filho não serve pra nada, minha filha, não conserta o que passou nem ilumina o que vem pela frente. Não é justo com ele nem com você.

Mas não adiantou alinhavar tanta razão, Dalva estava agarrada no não. Tinha medo, queria proteger Vicente do desamor que mantinha Venâncio e ela juntos. Não levaria o filho para casa, mas viria todos os dias. Seria apenas por um tempo, prometeu, ela precisava ficar mais forte para sair da cidade e voltar a viver com a família, não tinha como consertar as coisas com Venâncio, o amor deles estava acabado. Agora, precisava desaprender aquele ódio no corpo, não dependia mais só de um pensamento justo. Dependia de novas células, de trocar o próprio tecido, precisava de tempo.

Então Francisca, mesmo pesarosa, deu a ela a decisão da melhor hora. Anos se passaram. Viver a ressurreição do filho não foi suficiente para cancelar o que tinha sido posto em andamento. Dalva não sabia interromper a morte que se apossou dela. Continuou arrastando a corrente pesada e infeliz que prendia Venâncio e ela naquele inferno.

Foi difícil manter tudo em segredo. As Marias, mesmo acostumadas com as caridades de Francisca e com a casa sempre cheia de meninos e filhotes, acabaram notando aquele menino que nunca ia embora. Francisca desconversava, inventou que Vicente tinha sido abandonado em sua porta. As idas diárias de Dalva para lá ficaram na conta de seu sofrimento por ter perdido o filho, se apegou ao pequeno órfão por se sentir tão órfã quanto ele, aceitou ser chamada de mãe. Acabaram acreditando, lembravam que Francisca tinha um passado com Aurora, acolher Dalva fazia parte de uma dívida de gratidão.

Agora, cruzar o descampado entre a igreja e a casa de Francisca, depois de tanto correrem os rios, era um voo com asas coloridas. As flores caminhavam pelo atalho do recomeço, Dalva vinha num passo leve buscar Vicente, cantou por todo o caminho.

As coisas do filho estavam arrumadas desde a véspera, mas a roupa, escolhida a dedo para a ocasião, já estava suja e amassada.

A alegria de Vicente, desde que ele nasceu, não dava sossego para roupa limpa. Era um menino curioso, com um corpo esperto e disposto a se aventurar. Tinha herdado o sorriso da mãe, capaz de derreter todo o gelo do mundo. Um perigo. Sabia que estava de mudança, ficou dividido, inquieto, não queria ficar longe de Francisca, tinha apego aos bichos e a tudo o que vivia ali, mas, ao mesmo tempo, queria morar com a mãe na cidade, ir à escola e conhecer o pai. Levava a promessa das férias e fins de semana com a avó. Dalva não antecipou muita coisa, achou que teriam o resto da vida para conversar, que as perguntas de Vicente viriam com o tempo e com o tempo encontraria o que dizer. Apenas contou que ele conheceria o pai e que ela estaria sempre ao lado dele. Parecia bom por ora.

A caminhada até a casa foi longa. Mas Vicente apreciou cada passo. Era curioso, lembrava Aurora. Isolava pedras, enxergava admirado bichos e plantas, soltava a língua em teorias desvairadas sobre tudo. Tinha sede nos olhos. Dalva se divertia com tanta sabedoria. Não estava com medo da reação de Venâncio, enfrentaria as consequências do que foi possível para ela. Sentiu por não ter feito isso antes. Perdeu tempo demais ruminando tudo aquilo, mantendo a alma encardida, cheia de nódoas. Foi imprudente em não arriscar.

Quando chegaram à cidade, foram direto buscar João. Lucy veio sem demora, com tudo organizado. O filho estava impecável. O dia foi de festa no puteiro. Cancelaram toda a perversão por causa do menino. Dividiram os cuidados com entusiasmo. Os bebês nascem sabendo seduzir, são competentes sem esforço nenhum. João enlouqueceu a mulherada nas entranhas de ser mãe, qualquer carinha que ele fazia era acompanhada de exclamações barulhentas. Lucy não parava de lembrar o que Dalva havia dito: nosso filho. O que significava aquilo? Já tinha cuspido tantas indecências na direção de Dalva, quase arrancou seus dedos, gritou tantas provocações e, agora, não tinha coragem de perguntar se João poderia voltar de vez em quando?

Ao chegar ao alpendre, viu de cara Vicente de mãos dadas com Dalva. Não teve tempo de supor nada. Lucy, esse é Vicente. Vicente essa é Lucy, mãe do seu irmão. Bastou isso para Vicente, sem timidez, se aproximar de João já falando com ele como um velho conhecido. Os meninos facilitariam tudo.

Lucy ficou surpresa, de onde vinha aquele moleque? Viu Venâncio escarrado nele. Deixou escapulir a pergunta: irmão de João? Vicente é meu filho. Silêncio. Dalva gostou de se ouvir dizendo isso, não ia entregar mais nenhum pedaço da história, estava feliz, bastava. Lucy domou a curiosidade, de certa maneira conhecia aquela mulher, se contentou com a generosidade dela. Ensaiou dizer alguma coisa sobre João voltar, mas não conseguiu. Apenas pegou a mão de Dalva com delicadeza — as outras putas suspenderam a respiração, já tinham visto aquela cena —, levou os dedos marcados aos lábios e beijou com respeito. Dalva confiou. Não teve pressa. Sorriu sincera e começou a se afastar; depois de poucos passos, se virou novamente e disse: Venha ver João sempre que quiser. Você sabe onde ele mora.

Capítulo 35

Venâncio chegou em casa e não encontrou ninguém. Nos últimos tempos não precisava mais se contentar com a luz debaixo da porta para saber que Dalva e João estavam lá. Mais luzes ficavam acesas, mais portas abertas. Ouvia a voz de Dalva nos cuidados com o filho. Para ele ainda não havia voz, nem olhos, nem ouvidos, nem gosto algum. Seguia não existindo, sendo lembrado a cada dia do que tinha feito. Mesmo assim, sentia na casa um ar novo, um cheiro de chuva com sol. Agora que amava João passou a amar mais ainda Vicente, morreria por ele, daria a vida para voltar o tempo e desfazer sua brutalidade.

Eles não estavam em casa. O dia começava a dividir o céu com a noite, naquela hora que a saudade aperta. A saudade apertou Venâncio em seus braços. Dalva tinha cantado de manhã, fechou os olhos e lembrou. Cantava para o filho, João era o regente daquela harmonia, a esperança no meio do caos. Não era para ele, Venâncio, que ela cantava, mas, ao cantar, lançava iscas em suas águas, iscas que se desprendiam dos anzóis e, já não podendo ferir, alimentavam a fome que tinha de Dalva.

A casa vazia ficou insuportável. Esperaria por ela na varanda. Sentiu um calafrio percorrendo seu corpo, dedilhando sua espinha: e se a canção fosse o prelúdio da despedida? E se Dalva tivesse ido embora?

Entrou e conferiu os armários, estava tudo lá. Voltaria. Não sabia entre eles o que fazia Dalva ficar. O amor é alegre, disse Aurora. Para que serve o amor se não é para trazer a alegria para perto? Todos esses anos, era a tristeza que morava com eles. Não contente em ocupar a casa, entrou em sua corrente sanguínea e contaminou todos os seus rios. Por que ela não ia embora? A tristeza escraviza, nos faz dependentes de que alguma coisa aconteça, nos obriga a esperar por um olhar, um movimento, uma coragem, um amanhecer qualquer que limpe nossas águas e nos devolva a liberdade, lugar onde a alegria encontra espaço para existir. Venâncio estava preso há anos em seu corpo apertado esperando Dalva voltar. Ouvir ela cantar foi uma esperança irreversível. A voz brincava: pé-bola, mão-viola, boca-sorvete, olhos-enfeites — uma oração para João ser alegre. Era o que ela queria para o filho dele, que agora era dela, muito mais dela.

Ele teria ido embora se ela tivesse um filho de outro homem. Reconhecia. Mas, ao deitar com Lucy, era Dalva que ele amava, se defendeu. Tinha provas, quem podia duvidar: amava tanto que não conseguiu dividir sua mulher com o próprio filho. Estúpido. Cruel, isso não é amor, é adoecimento! Rejeitou o pensamento, não ia permitir sua voz incontrolável desenfreando agressões. Já tinha cumprido a sua pena, eram anos de tortura diária, sua alma vivia uma fome corrosiva, seu exílio foi ser enterrado vivo. Chega, não quero mais mastigar esse rancor, cuspo, quero ser condenado à morte, me matem, mas, se me deixarem vivo, quero meu próprio perdão, pelo menos isto: ser perdoado por mim mesmo. Entendeu? Eu me perdoo. Gritou: eu me perdoo.

Precisava andar, queria despistar a culpa, escapar de seu veneno cáustico. Eu me perdoo. Entendeu? Respirou fundo buscando acalmar o tumulto. Cantarolou baixinho a música que Dalva cantou de manhã: pé-bola, mão-viola, boca-sorvete, olhos-enfeites. Largou a varanda em direção à rua, mas, mal abriu o portão, foi atingido pelo que viu: ela, em seu vestido branco de flores, caminhando de ombros abertos, os cabelos soltos, a valsa inspirando seus passos, vinha sem arrastar aquela maldita noite com ela. Onde jogou fora aquele peso? Tinha nos braços um pacotinho azul, que segurava com graça: era João. Tudo vibrou dentro dele, teve vontade de chorar com a beleza da borboleta.

Custou a notar que do seu lado direito, segurando na outra mão, vinha um menino. Estranhou. Firmou os olhos nele, seu corpo soube de tudo na hora. Ele inteiro precisou de mais tempo para se dar conta. A verdade se conhece aos poucos. Quem seria?

Lembrou, sem mais nem menos, de um retrato dele quando criança que encontrou apertado entre os dedos do pai morto. Um retrato surrado de tanto ser carregado. Dona Inês dizia que seu José nunca deixou de levar o filho com ele, aonde quer que fosse. Seu pai não sabia chegar perto, Venâncio, mas não conseguia viver longe de você. Que diabos, por que estava pensando naquilo? Desconfiava do que sabia.

Dalva já tinha visto Venâncio parado no portão, não tropeçou nem botou dúvidas no passo, continuou caminhando e conversando animada com seu pequeno acompanhante. Venâncio suspeitou que, para ela, ele continuava não existindo. Não notou as pernas dela bambas, não parecia ter o coração disparado, não suava, nem se traía em gestos desnecessários. Como a indiferença é serena!, pensou. Ela avançou, já estava perto, muito perto, quando o improvável aconteceu, como se todas as coisas que viveram antes estivessem apenas preparando aquele momento: o sorriso que o menino fez começar em Dalva ela entregou a Venâncio quando olhou para ele. Olhou para Venâncio sorrindo, não como quem doa um resto de sorriso esquecido na boca, mas como quem divide uma alegria. Deixou que os olhos dele entrassem nela sem pressa. Passeou também por dentro dele, reconhecendo serena seu envelhecimento. E, sem se desviar um do outro, Venâncio ouviu Dalva dizer: Vicente, esse é o seu pai.

Estavam diante de um caminho alagado. Sob a superfície da água, não era possível ver nada que não fosse o céu azul. Ainda assim, o próximo passo trazia a possibilidade dos abismos. Mas alguma música já se podia ouvir. Vicente respirava. Em pouco tempo, João saberia rir fazendo barulho. O vestido florido resistiria a longas caminhadas. Os bordados contariam suas histórias. Aurora viria de tempos em tempos amanhecer com eles. Dalva e Venâncio poderiam sentir o gosto e o gozo um do outro. O caminho alagado trazia a promessa dos corpos úmidos. Deus estava de volta.

208   Agradecimentos

Irlanda, minha eterna Aurora. Ulisses, meu pai, minha saudade. José Amaro por esse amor onde quero me demorar. Meus irmãos por serem tão meus. Vânia Moraes por me alfabetizar. Jeferson Machado Pinto pela escuta sensível. Simone Moreira e Letícia Ladeira sempre. Lápis Raro sempre. Ju Duarte, Cris Cortez e Eliana Bhering, sem vocês não tem graça. Gustavo Jardim pelas trocas. Rodolfo Vaz e Fernanda Vianna por serem tão essenciais. Dani Pian, arrasou, madrinha. Cris Guerra, Juliana Sampaio, Afonso Borges, Eduardo Moreira, Inês Peixoto, Agnes Farkasvolgyi, Bacho Gibram, Elisa Mendes, Daniel de Jesus, Suzana Latini, Carlos Roberto de Barros, Ivan Morais, Quirino Amaral, Pedro Vieira, Ronara Beato, Nísia Werneck, Diogo Medeiros, Pedro Furtado, Teresa Brandão, Virgínia Junqueira, Sandra Azevedo, Marcos Rennó, Yara Novaes, Adriana Pinheiro, Alencar Perdigão, Renata Pereira, Marcelo Miranda, Joana Alves e todos que me inspiraram, acreditaram e atravessaram comigo esse rio, toda a minha alegria.

Este livro foi composto na tipografia
Clarendon Light, em corpo 10/16, e impresso
em papel off-white no Sistema Cameron da
Divisão Gráfica da Distribuidora Record.